Cuentos

D1507082

Aula de Literatura

DIRECTOR
Francisco Antón

ASESOR
Manuel Otero

Cuentos

Pedro A. de Alarcón

Introducción, notas
y propuestas de trabajo
Joan Estruch

Ilustración
Kaffa

Aula de Literatura ◆ Vicens Vives

Ilustración de la cubierta: Francisco Solé

Primera edición, 1991
Primera reimpresión, 1993
Segunda reimpresión, 1995
Tercera reimpresión, 1996
Cuarta reimpresión, 1997
Quinta reimpresión, 2000

Depósito Legal: B. 8.356-2000
ISBN: 84-316-2864-2
Nº de Orden V.V.: M-131

IMPRESO EN ESPAÑA
PRINTED IN SPAIN

Editorial VICENS VIVES. Avda. de Sarriá, 130. E-08017 Barcelona.
Impreso por Gráficas INSTAR, S.A.

ÍNDICE

PEDRO ANTONIO DE ALARCÓN (1833-1891)

INTRODUCCIÓN

UN ESCRITOR REPRESENTATIVO DE SU ÉPOCA

La biografía y la obra de Alarcón expresan muy bien las transformaciones históricas de su tiempo. Nacido cuando, con la muerte de Fernando VII, se iniciaba en España la superación del Antiguo Régimen, su vida discurre paralela a la historia de este país. Fue revolucionario en su juventud y conservador en su madurez, como la burguesía española, que irá abandonando los intentos de transformación radical para desembocar en la mediocre estabilidad de la Restauración.

Del mismo modo, su obra, aunque plenamente inserta en el Realismo, puesto que expresa la voluntad de reflejar la realidad contemporánea, inmediata, contiene ecos de la visión romántica de la vida, como la creencia en el destino o la predilección por lo extraordinario y misterioso.

Infancia y adolescencia

Pedro Antonio de Alarcón nació el 10 de marzo de 1833 en Guadix, pueblo granadino que vivía del recuerdo de su pasado esplendor. Su familia, perteneciente a la pequeña nobleza, también había conocido mejores tiempos. La Guerra de la Independencia la dejó arruinada, puesto que los franceses confiscaron todos los bienes del abuelo de nuestro escritor, debido a su actitud patriótica. Varios cuentos de Alarcón están ambientados en ese dramático período de nuestra historia contemporánea, y en todos ellos aparece una clara identificación con los que lucharon contra los invasores. También encontramos en algunas de sus novelas, sobre todo en *El niño de la bola*, el tema del joven perteneciente a una buena familia arruinada injustamente.

La infancia de Alarcón transcurrió entre las clases de la escuela primaria del pueblo, situada en un antiguo granero, y los juegos en el campo y en la destartalada casa familiar. Pronto empieza a leer todo cuanto cae en sus manos: novelas de folletín, Walter Scott, Dumas, poesía romántica...

A los catorce años se examina y consigue el título de bachiller, y seguidamente entra en la Universidad granadina para estudiar Derecho. Pero a los tres meses tiene que abandonar los estudios: su familia no puede costearle la carrera, y no le queda otra salida que entrar en el seminario de Guadix. Obligado por su padre a prepararse para ser sacerdote, Alarcón se rebela contra este destino leyendo a escondidas libros de Voltaire, considerado entonces el mayor enemigo de la Iglesia. Su radicalismo ideológico era, pues, una reacción contra el futuro que trataba de imponerle su familia.

La literatura se convirtió en un refugio de sus sueños adolescentes, de sus deseos de huir de la vulgaridad de la vida pueblerina. A los 17 o 18 años escribió su primera novela, *El final de Norma*, que se publicaría en 1855. Se trata de un relato todavía vacilante e inmaduro, con muchas influencias de la novela de folletín. Los románticos amores de un joven músico –tras el que vislumbramos al autor– con una cantante de ópera son la tenue armazón que sostiene un sinfín de aventuras poco verosímiles.

En 1852 consigue ver realizadas una de sus mayores ilusiones: con el apoyo de un mecenas gaditano, publica un semanario, *El Eco de Occidente*. Escrito por Alarcón en su mayor parte, duró tres años, y en él aparecieron algunos de sus cuentos más importantes, como *El amigo de la muerte*, *La buenaventura* y *El clavo*. Animado por el relativo éxito del semanario, y tras dolorosa ruptura con su padre, abandonó el seminario y se marchó a Guadix camino de Madrid, convencido de que allí le sería fácil triunfar como escritor.

En busca de la gloria

Instalado precariamente en la capital, con poco dinero y muchos manuscritos, pronto empieza a comprender que sus proyectos resultaban demasiado optimistas. Los editores no le hicieron caso, y Alarcón parecía destinado a la marginación, como le sucediera a Bécquer y a tantos jóvenes de provincias que iban a la corte atraídos por el espejismo del triunfo rápido y espectacular. El escritor recogerá en diversos cuentos las ex-

Esta caricatura aparecida en El látigo, *que representa la evolución del hombre desde la juventud radical hasta su orondo conservadurismo, es irónicamente reveladora del proceso seguido por Alarcón.*

un candidato al trono vacante. De acuerdo con la posición de la Unión Liberal, se opuso a la candidatura de Amadeo de Saboya, el candidato del general Prim, y fue uno de los primeros en proponer al príncipe Alfonso, hijo de Isabel II, como monarca ideal para lograr la pacificación del país.

Novelista de éxito

En el verano de 1874, cuando, tras el golpe de Estado del general Pavía, el proceso revolucionario iniciado en 1868 estaba agonizando, Alarcón vuelve a dedicarse a la literatura y publica *El sombrero de tres picos*, novela corta que enseguida alcanzó un gran éxito. Escrita con un estilo ágil y ameno, cuenta una picaresca historieta de adulterio, aunque sin salirse de los estrechos márgenes de la moral de la época.

La restauración de la monarquía borbónica, con la subida al trono de Alfonso XII, supone para Alarcón el nombramiento de consejero de Estado, cargo honorífico que le permitirá dedicarse con intensidad a la literatura. En el verano de 1875 publica *El escándalo*, novela que logra un nuevo y fulminante éxito de público. En ella se cuenta el proceso de arrepentimiento de un joven libertino, que acabará reconciliándose con la Iglesia y convirtiéndose en un honrado padre de familia. En gran parte, la obra refleja la trayectoria personal de Alarcón, su transformación ideológica. Los críticos progresistas, entre ellos Leopoldo Alas, «Clarín», le reprocharon que abandonara los ideales revolucionarios de juventud y los sustituyera por el conservadurismo más estrecho.

Como consagración de sus éxitos, es elegido miembro de la Real Academia de la Lengua, aunque no tomará posesión hasta dos años después, con el discurso titulado *La moral en el arte*, en el que defiende el valor educativo y moralizante de las obras artísticas y literarias. En consonancia con esta tesis, en 1880 publica *El niño de la bola*, tragedia amorosa en la que se intercalan referencias críticas a los enemigos de la religión.

Su último novela, *La pródiga* (1881), tuvo menos éxito de público que las anteriores, y, por si fuera poco, fue atacada con dureza por un sector de la crítica. Alarcón, acostumbrado al éxito, reaccionó con acritud, se declaró «en huelga» y ya no volvió a escribir novelas. Es probable que esta singular forma de protestar no fuera más que una excusa para justificar su agotamiento creativo y sus dificultades para adaptarse a las nuevas tendencias literarias, entre las que destaca el Naturalismo, que Alarcón condenó por inmoral.

Retirado de la literatura, pasó sus últimos años entre Madrid y su finca de Valdemoro, ocupándose de la edición de sus obras y escribiendo artículos para la prensa. A finales de 1888 sufrió un ataque de hemiplejía que le dejó paralizada la parte izquierda del cuerpo, aunque no le afectó el cerebro. Después de haber superado otros dos ataques, el cuarto y definitivo le sobrevino el 19 de julio de 1891.

LOS CUENTOS

A pesar del éxito que tuvieron en su época, las novelas de Alarcón han quedado bastante desfasadas. En cambio, sus relatos cortos —sobre todo, *El sombrero de tres picos*— se siguen leyendo con agrado. Es ahí donde Alarcón alcanza un lugar destacado en la literatura del siglo XIX. En los cuentos modera su afán de moralizar a la sociedad a través de la literatura, y da rienda suelta a su interés por lo extraordinario y lo misterioso, sin más pretensión que la de entretener.

EL LATIGO.

Cabecera del periódico del que Alarcón fue director.

periencias de su vida bohemia en Madrid, aunque siempre en un tono humorístico e irónico. Esta dura experiencia de escritor novel se complicó todavía más al ser llamado a filas por el Ejército, lo que, al parecer, no entraba en sus cálculos; así que resolvió regresar rápidamente a Guadix y pidió a su padre perdón... y ayuda económica para librarse de cumplir el servicio militar, pues en aquella época eso era posible. El padre accedió a sus deseos, y Alarcón se marchó a Granada, adonde se había trasladado *El Eco de Occidente.*

Allí le sorprenden los ecos de la revolución liberal conocida como la «Vicalvarada» (1854), que en Madrid había derrocado al gobierno conservador. Lleno de entusiasmo, se puso al frente de los revolucionarios granadinos, y durante unos días participó en las luchas callejeras. Pensando que el cambio en la situación política podría favorecerle, se dirigió de nuevo a la capital, en donde, tras pasar unos meses de vida bohemia, consiguió una colocación: director de *El látigo,* un periódico político que atacaba a la monarquía y a la Iglesia. Sus artículos incendiarios pronto le atrajeron el odio de los conservadores; uno de ellos, el escritor José García de Quevedo, lo desafió a muerte. Y se celebró el duelo, de acuerdo con las costumbres de la época.

Alarcón, nervioso, disparó primero y erró el tiro. Su contrin-
cante, que tenía muy buena puntería, le perdonó la vida dis-
parando al aire.

Impresionado por esta terrible experiencia, Alarcón sufre
un cambio radical en sus ideas, hasta el punto de abandonar el
periódico y romper con sus amigos revolucionarios. A partir de
ahora cambiará su fortuna: publica *El final de Norma*, que tiene
mucho éxito; un periódico lo envía como cronista a la Exposición de la Industria que se celebraba en París; finalmente, y a
su vuelta a Madrid, colabora en varias publicaciones como crítico teatral.

Política y literatura

Su gran oportunidad se presenta con ocasión de la guerra
que el general O'Donnell emprendió en 1859 contra Marruecos.
Alarcón participa en la campaña como corresponsal y como
soldado, combate en varias ocasiones, y es laureado con la Cruz
de San Fernando. Pero donde verdaderamente destaca es en
su labor de periodista. Sus crónicas tuvieron un éxito extraordinario por el colorido y la fuerza con que supo describir las
escenas de guerra. El libro que las agrupaba, *Diario de un testigo
de la guerra de África,* vendió más de cincuenta mil ejemplares,
lo que proporcionó a Alarcón importantes beneficios econó-
micos.

Esta mejora de su situación le permitirá emprender un viaje
por Francia, Suiza e Italia, que convertirá en materia de su
libro *De Madrid a Nápoles.* A su regreso ingresa en la Unión
Liberal, partido fundado por el general O'Donnell con el ob-
jetivo de agrupar a los liberales moderados. Su creciente par-
ticipación en el mundo de la política supone un largo paréntesis
en su dedicación a la literatura. Alarcón se convierte en periodista político y es elegido diputado de su partido por el distrito
de Guadix, aunque sus actuaciones parlamentarias no son muy
destacadas. A finales de 1865 se casa con Paulina Contreras, a
la que había conocido el año anterior. Por su oposición al gobierno Narváez, es desterrado a París y luego confinado en
Granada.

Después de haber participado de cerca en las jornadas de
la revolución de septiembre de 1868, que derrocó a Isabel II,
tuvo cierto protagonismo en la discusión sobre la elección de

Agrupados con un criterio temático, a veces discutible, en tres series –*Cuentos amatorios, Historietas nacionales* y *Narraciones inverosímiles*–, encontramos en ellos una gran variedad de argumentos y de técnicas narrativas, si bien es fácil detectar algunas constantes.

Aunque ocasionalmente trata temas fantásticos –como en *El amigo de la muerte*–, Alarcón casi siempre parte de la realidad cotidiana para llegar a una situación sorprendente o extraordinaria. De esta manera supera las limitaciones de la leyenda romántica, que, para hacerse creíble, debía situarse en un pasado medieval o en un marco exótico (recuérdense a este propósito las conocidas leyendas becquerianas). Alarcón emplaza sus cuentos en un tiempo contemporáneo y un espacio reconocible y, quizá por ello, consigue hacer creíbles temas improbables o inverosímiles. Ello le acerca, aunque a bastante distancia, a Poe, a quien admiraba y en ocasiones imitaba.

La *perspectiva narrativa* es variada. Con frecuencia utiliza el recurso de poner el relato en boca de un personaje que cuenta lo que le ocurrió o lo que otros le contaron, con lo que el cuento se inserta dentro de otro. Otras veces el propio autor se convierte en el narrador, limitándose a transcribir lo que otros le han contado, y, por tanto, cediendo el primer plano al protagonista. Pero también encontramos cuentos en los que Alarcón asume el protagonismo del cuento y narra en primera persona. En cualquier caso, vemos que en la mayoría de sus cuentos se parte de la realidad, de un suceso del que se nos dice que ha sido presenciado o le ha ocurrido a alguien. Así, el relato se convierte en testimonio de un hecho supuestamente real, con lo que gana credibilidad ante el lector.

Los *personajes* de Alarcón suelen estar caracterizados de manera esquemática, con una sicología elemental. Pero esto, que en sus novelas se convierte en un defecto, en sus cuentos constituye una virtud, puesto que el relato breve no permite analizar con detenimiento a los personajes, que se nos presentan bajo un único punto de vista, bajo un solo aspecto de su personalidad. Los personajes femeninos de sus cuentos tienen menor importancia y variedad que los masculinos. Las mujeres que aparecen en ellos son variantes de un arquetipo abstracto, el de la mujer ideal, «ella». De ahí que estén descritas con rasgos típicamente románticos: de belleza lánguida, de origen misterioso... A menudo, tras esta apariencia se esconde una personalidad distinta, cuya revelación sume al hombre, siempre enamoradizo, en el desengaño. Nos encontramos, pues, ante un planteamiento todavía influido por el Romanticismo.

Por su brevedad, el cuento requiere una *estructura* tradicional: planteamiento, desarrollo y desenlace. El planteamiento debe ser breve y el final adquiere gran importancia, siendo preferibles los sorprendentes, pero lógicos y bien trabados con el planteamiento y el desarrollo. Alarcón cumple bien estas leyes de la narración corta. Por lo general, sus cuentos se basan en un solo asunto, expuesto con estructura tradicional. Con frecuencia el desenlace es fruto de la fatalidad, una fatalidad que todavía debe mucho a la visión romántica del mundo.

En cuanto al *estilo*, los cuentos de Alarcón se apoyan sobre todo en la narración. Cuando se olvida de aprovechar el cuento para introducir sus divagaciones moralizantes y se centra en contar la historia, consigue sus mayores aciertos. Los diálogos tienen menor importancia, y suelen utilizar el nivel de lenguaje correspondiente al personaje. Las descripciones son breves, salvo cuando quiere destacar algún personaje u objeto. Especialmente hábil se muestra en el dominio del *suspense*, mediante el que estimula el interés del lector y lo anima para seguir leyendo hasta conocer el desenlace. Esta amenidad de su estilo, reconocida hasta por sus críticos más feroces, es fruto de los años en que trabajó como periodista, cuando tenía que escribir sobre los más diversos asuntos dirigiéndose a un público amplio.

El carbonero alcalde

Es éste uno de los cuentos más conocidos y elogiados de Alarcón. Fechado en 1859, muy cerca, pues, de su aventura africana, tiene un elevado sentido patriótico. El asunto consiste en una anécdota de menor importancia dentro de los numerosos acontecimientos similares que ocurrieron en la Guerra de la Independencia. Pero Alarcón convierte la heroica lucha del pueblo de Lapeza en símbolo de la resistencia nacional contra los invasores.

El alcalde es el personaje central del cuento, y en él encarna Alarcón las características de los lapeceños y, de manera indirecta, de los españoles en general. Estas características se resumen en su heroísmo primitivo, más fruto del apego a su territorio que de una defensa global de España.

El protagonismo de los alcaldes en la insurgencia contra los franceses, queda bien patente en este grabado, que muestra al alcalde de Móstoles dando órdenes de sublevarse.

El cuento se basa en la constante contraposición entre los franceses y los lapeceños. Los primeros representan la prepotencia militar, la modernidad derivada de la Revolución Francesa. Los segundos, el atraso material e ideológico, el valor ciego y fanático.

Sin disfrazar las limitaciones de los lapeceños, descritos como unos pueblerinos semisalvajes, Alarcón consigue ponernos de su lado, pues siempre somos más sensibles con los más débiles, con los derrotados. A pesar de su clara simpatía por los lapeceños, no utiliza en exclusiva un estilo épico y solemne, sino que lo alterna con un tono irónico, compensando así el desajuste entre el tema, de índole menor, y el enfoque patriótico. El tratamiento formal se adecua así a la sencillez del asunto, que gana en verosimilitud.

Uno de los mayores aciertos de este cuento lo constituye el retrato del alcalde, que se graba con fuerza en la imaginación de los lectores. Con sólo unas cuantas pinceladas de su físico y su vestimenta, sin referencias a su pasado ni a su sicología, Alarcón logra convertirlo en un personaje simbólico, pero creíble.

El clavo

Este cuento, uno de los más conocidos de Alarcón, en parte gracias a una versión cinematográfica de 1944, resulta particularmente interesante porque constituye un excelente resumen de los aciertos y las insuficiencias de la técnica narrativa de su autor.

Para darle una amenidad basada en la variedad, Alarcón complica demasiado la trama argumental, creando una triple estructura. En realidad, nos hallamos ante tres relatos unidos al final de manera precaria: los amores de Felipe, los amores de Zarco y el crimen. De hecho, el primero es bastante innecesario, pues apenas tiene relación con los otros dos. Los tres relatos convergen en la figura de la protagonista femenina, que se escinde en tres personalidades, con tres nombres distintos. Mezcla de heroína romántica y de fría criminal, su verdadera personalidad, su sicología quedan difuminadas, y resulta un personaje poco convincente.

Zarco se muestra también un personaje demasiado plano y rígido, y Alarcón es incapaz de penetrar en su interior para describir la lucha entre su amor y su deber. Por otro lado, la historieta de amor de Felipe sólo aparece destinada a distraer la atención del lector para que no descubra los entresijos de la intriga principal.

Pero el verdadero protagonista del relato es la fatalidad, el destino. Sin este elemento, perdería toda consistencia, quedaría reducido a una increíble suma de coincidencias. Alarcón trata de hacer verosímil la acumulación de tantas casualidades recurriendo a la Providencia, que habría dispuesto las cosas para que, al final, el crimen fuera castigado. Por ello, *El clavo* aparece como un relato todavía muy lastrado por los tópicos románticos acerca de la fuerza del destino, y queda a gran distancia de *La mujer alta*, plenamente moderno.

Sin embargo, existe en *El clavo* un elemento que lo distingue de los cuentos de su época y lo convierte en el primer antecedente, en nuestra literatura, de la novela policial. En él encontramos ya los rudimentos de ese género tan actual. Zarco no es propiamente un detective, figura que no existía aún en la sociedad española de la época, pero tiene una profesión muy cercana. Actúa, por ello, siguiendo un método plenamente detectivesco: partiendo de los indicios materiales elabora una hipótesis, es decir, sigue un método inductivo en cierta medida semejante al de Auguste Dupin, el detective creado por Poe, y al del famoso Sherlock Holmes. También lo acerca a estos detectives su interés vocacional, su entusiasmo por la investigación en sí misma, que no sólo es un medio de solucionar un caso judicial, sino una fuente de satisfacción, la de descubrir un enigma, que se presenta como un desafío a su inteligencia. Otro elemento emparentado con la novela policial es la figura del colaborador y narrador, en este caso Felipe.

El estilo del cuento presenta numerosos lastres de la ampulosidad heredada del Romanticismo. Más concretamente, Alarcón imita el estilo de un novelista francés, hoy justamente olvidado, Alphonse Karr, que escribía de manera retórica, con constantes digresiones y apelaciones al lector, con frases entrecortadas, llenas de interrogaciones y exclamaciones. Un estilo, en suma, declamatorio, imitado de la oratoria, muy lejos de la sobriedad que impondría el Realismo.

La buenaventura

Se trata de uno de los cuentos más logrados de Alarcón, pues es pura narración, la técnica que mejor dominaba. Sin apenas preámbulos, se nos introduce directamente en la acción. La presentación se basa en el contraste entre la figura del gitano y la del capitán general. Lo chocante de la situación y el gracejo con que se expresa el gitano enseguida captan el interés del lector.

A pesar de ser una historia de bandoleros andaluces, materia del folclore popular y de las típicas estampas que tanto gustaban a los viajeros extranjeros, Alarcón evita los lugares comunes —el bandolero noble y valiente, protector de los pobres— y narra el suceso de manera sencilla y sobria. Al poner parte del cuento en boca del gitano le da mayor viveza, reproduciendo con exactitud el habla peculiar de los gitanos.

El final resulta sorprendente pero verosímil, y sólo le sobra, como en tantas ocasiones, la moraleja que Alarcón añade para evitar cualquier posible interpretación no ajustada a la doctrina de la Iglesia.

Así vio Gustave Doré, en la época en que transcurre La
buenaventura, *al popular barrio granadino de Sacromonte,
habitado en su mayoría por gitanos.*

El extranjero

Fechado al año siguiente de *El clavo*, *El extranjero* tiene unas
características muy distintas. Ante todo, destaca la novedad de
su tema, la visión humanitaria del enemigo, que se convierte
en protagonista positivo, mientras que los patriotas asumen un
papel negativo. Para que ello sea posible, es necesario indivi-
dualizar al personaje, dotarle de nombre, de rasgos propios,
separarlo de la masa anónima del ejército invasor. De esta manera podemos ver en él un ser humano con sentimientos similares a los nuestros. Entonces, y sólo entonces, el enemigo deja
de ser un ente abstracto, distante y desconocido, al que podemos atribuir toda clase de maldades y, por tanto, odiar y matar
sin ningún remordimiento.

Así nos presenta Alarcón al protagonista, el soldado Iwa. Al verlo de cerca y empezar a conocerlo, comienzan a desvanecerse los rasgos que lo identifican como enemigo. No es siquiera francés, sino de Polonia, una nación lejana que nunca ha causado ningún perjuicio a España. Además, solo, indefenso y enfermo, ya no supone peligro alguno. Despojado de todo atributo hostil, queda reducido a lo que es: un ser humano. Ésta es la visión de Alarcón y la del narrador, el anciano que vivió parte de los acontecimientos. En este caso, el narrador interpuesto no sólo sirve para certificar la autenticidad de lo relatado, sino también para transmitirnos su punto de vista, para hacernos contemplar los hechos tal como él los experimentó. Esta visión humanitaria, basada en la caridad cristiana, se contrapone a la de los dos soldados españoles, que siguen viendo en el polaco a un enemigo en el que quieren saciar su crueldad.

Un gran hallazgo de este cuento lo constituye la figura del anciano minero, que adquiere un protagonismo equiparable al del soldado polaco. En él Alarcón encarna todas las virtudes del pueblo: sencillo, honrado, piadoso..., un hombre de bien, en suma. Es el depositario de un saber tradicional, transmitido oralmente de generación en generación, al margen de la cultura oficial, libresca. Su visión de la Guerra de la Independencia no está tomada de los libros de historia, sino que se basa en su experiencia personal, limitada y anecdótica, pero tremendamente valiosa como vivencia: «¡Lo mejor de estas guerras no lo rezan los libros! ¡Ahí ponen lo que más acomoda... y la gente se lo cree a puño cerrado!». En esta contraposición entre la historia libresca y la historia de las masas anónimas encontramos ya un atisbo de lo que más adelante Unamuno denominará *intrahistoria*.

La peculiar forma de hablar y de relatar del viejo, sus expresiones populares y sus divagaciones están captadas a la perfección, y son un modelo de diálogo natural, auténtico. Sus comentarios interrumpen a menudo el discurso narrativo, pero no resultan molestos, pues sirven para dar más énfasis a lo narrado.

La importancia que adquiere el habla del minero se percibe claramente si comparamos la segunda parte del cuento, contada por él, con la tercera, relatada por un coronel de forma más culta y directa, pero mucho menos viva y expresiva. El nexo entre la segunda y la tercera parte reside en el medallón, objeto que, como el clavo en el cuento anterior, tiene un papel fundamental, hasta el punto que el cuento podría haberse titulado *El medallón*.

De nuevo, Alarcón quiere presentarnos el conjunto de circunstancias azarosas que provocan el sorprendente desenlace como obra de la Providencia, que así ha dispuesto las cosas para castigar al culpable.

La mujer alta

Nos encontramos ante uno de los mejores cuentos de terror de la literatura española, en la que no abunda esta temática. En él Alarcón logra crear una atmósfera cercana a los relatos de los grandes maestros del género, Poe y Hoffmann. También presenta la novedad de ser uno de los primeros relatos en que consigue situar el tema fantástico en un marco urbano perfectamente reconocible, el casco antiguo de Madrid, y en un tiempo bien concreto, contemporáneo. El terror surge en medio de la vida cotidiana, y es vivido por personajes normales y corrientes, con los que el lector puede identificarse fácilmente. Atrás quedan los relatos fantásticos del Romanticismo, siempre ambientados en épocas y lugares remotos, y protagonizados por personajes idealizados.

Si, de acuerdo con Todorov, lo fantástico es aquello que nos hace vacilar entre la explicación racional y la sobrenatural, *La mujer alta* se ajusta plenamente a esta noción. Toda la fuerza del cuento radica en la ambigüedad, en la incertidumbre en que nos deja después de leerlo. En este sentido, es un cuento en el que no sólo el final, sino todo él, está abierto a lecturas diversas, y el autor finge que no quiere imponernos ninguna y que se limita a suministrarnos los materiales para que los interpretemos de acuerdo con nuestra sensibilidad.

Con objeto de preparar al lector para que encuentre verosimilitud en un tema fantástico y, por tanto, crear en él la incertidumbre a la que aludíamos, Alarcón insiste en proporcionarle toda clase de detalles que refuercen la credibilidad del cuento. Ante todo, se presenta como relato, es decir, el autor se sitúa como mero transcriptor de lo que oyó en boca de un amigo que cuenta lo que, a su vez, le relató el protagonista de los hechos. Abundan las referencias destinadas a hacer reconocibles, casi comprobables, los datos personales del protagonista: se nos facilita su nombre, aunque no su apellido, para dar impresión de discreción; se menciona su domicilio y el nombre de su esposa; además, algunos de los oyentes lo han conocido.

Otro elemento importante, destinado al mismo fin, es la caracterización del narrador, los oyentes y el protagonista: todos son científicos o técnicos, acostumbrados a verificar, a comprobar, y por tanto, reacios a cualquier superstición o esoterismo. Tengamos en cuenta el año en que se escribió el cuento: 1881, cuando estaban en pleno auge el positivismo y el método experimental, que Claude Bernard había aplicado a la medicina y que Zola trataba de aplicar a la novela naturalista. Justamente en ese año empezaba a producirse en España una amplia polémica sobre el Naturalismo, que al año siguiente cristalizará en el libro de Emilio Pardo Bazán *La cuestión palpitante*. Situado en ese contexto, *La mujer alta* aparece como la contribución práctica de Alarcón a esa polémica, como un alegato contra el Naturalismo y su pretensión de encajar la literatura en los esquemas de la ciencia. De ahí que elija un tema que escapa a las explicaciones racionales y convierta en actores y testigos del mismo a científicos de toda solvencia. De ahí también su afán de despojarlo de toda posible connotación de superstición o leyenda popular.

Una vez que ha conseguido hacer bajar la guardia al racionalismo del lector, Alarcón lo sumerge en una atmósfera de misterio creciente. Pero la tensión emocional, el suspense, no se basa sólo en la aparición de un ser extraño en sí mismo, sino, sobre todo, en la repetición de un mismo fenómeno: la visión de la mujer alta coincide con alguna desgracia que sufre el protagonista, por lo que pasa a considerarla como la causante. De esta manera, tal como ha estudiado Freud, la explicación racional, basada en la casualidad, queda en entredicho, y hay que buscar otro tipo de explicaciones, fuera del ámbito de la ciencia.

Factor fundamental de la ambigüedad, de incertidumbre, es la imposibilidad de definir el objeto que provoca el terror, la mujer alta. El punto de vista del cuento es exclusivamente el del protagonista y, por tanto, la mujer alta se nos presenta tal como él la ve. Constituye un gran acierto de Alarcón no describirla con trazos demasiado recargados. El terror que inspira reside justamente en su ambigüedad: la de su físico, de sexo indeterminado, y la de su verdadera personalidad.

En consonancia con el deseo de dar al relato la mayor verosimilitud, Alarcón utiliza un estilo sencillo, natural, alejado del lenguaje retórico y afectado de las leyendas románticas. Predomina claramente la narración. La atmósfera tensa y angustiosa del cuento se compensa con los comentarios interpuestos del narrador, en estilo coloquial. Colocados al principio de cada apartado, tienen un efecto anticlimático.

La comendadora

La crítica es prácticamente unánime a la hora de considerar este cuento como uno de los mejores de Alarcón. El cuidado puesto en las descripciones, el interés por la sicología de los personajes, la lentitud y la falta de trucos efectistas lo distinguen claramente.

Aunque está basado en una anécdota trivial, el subtítulo («Historia de una mujer que no tuvo amores») nos da a entender que el tema principal no reside en el capricho de un niño malcriado, sino en la forzada renuncia de una mujer a su felicidad. El drama íntimo de la protagonista no surge súbitamente a raíz del peculiar deseo de su sobrino, sino que tiene un trasfondo más profundo, trasfondo que es agitado y puesto en evidencia por ese deseo. Como en *Doña Rosita, la soltera*, de Lorca, obra que quizá deba bastante al cuento alarconiano, asistimos a una frustración existencial de largo alcance, por la que la protagonista tiene que renunciar al amor debido a unas circunstancias que no puede cambiar, pero contra las que se rebela subterránea, inconscientemente. En ambas obras, el monótono paso del tiempo, con la consiguiente pérdida de la juventud y de la ilusión, es el principal enemigo de las protagonistas. El hecho que exacerba esa frustración latente y la hace más dolorosa es, hasta cierto punto, secundario.

A pesar de ello, el lector contemporáneo de Alarcón no pudo dejar de impresionarse ante un tema entonces extraño, escandaloso: la sexualidad infantil. Aunque Montesinos hable de la «obsesión lúbrica» del niño, y Laura de los Ríos lo considere «un inquietante y monstruoso niño», hoy, después de los estudios de Freud sobre la sexualidad infantil, no podemos escandalizarnos tanto. El deseo del niño no es especialmente sorprendente, aunque sí lo es que lo exprese con todo descaro, sobre todo teniendo en cuenta la moral de la época y la educación que recibían los niños de buena familia. Más que un obseso, el niño es un malcriado. El propio Alarcón, que nunca dominó la sicología de sus personajes, se muestra vacilante en su caracterización, puesto que lo describe como un niño enfermizo, con lo cual sugiere que su deseo es producto de una mente también enferma. Pero después resulta que el niño crece con normalidad hasta convertirse en un joven oficial que muere en combate, con lo que su supuesta enfermedad mental queda también en entredicho.

El tema impone que el cuento sea lento, moroso, y, por tanto, con gran peso de la sicología de los personajes y de las descripciones, de gran valor plástico. Está muy lograda la descripción de los colores, de los claroscuros, de los sonidos. También es de destacar el uso de un lenguaje sugerente, lleno de connotaciones, en el que los detalles, los pequeños gestos adquieren valor simbólico.

La corneta de llaves

Relato puesto en boca de su protagonista, contiene dos temas, no muy bien enlazados: la amistad y el poder de la voluntad. Aunque en el cuento se decanta por los liberales, Alarcón no quiere cargar las tintas en sus referencias a los carlistas, y tampoco presentarnos el enfrentamiento entre liberales y carlistas como un relato de buenos y malos. La historia de los dos amigos y la pervivencia de su amistad más allá de las rivalidades políticas, resulta emblemática de aquella guerra entre españoles, que el autor califica de «fratricida».

El otro tema, el poder de la voluntad, que da pie al título, al epígrafe y a la moraleja implícita, está, sin embargo, poco desarrollado. El final resulta demasiado rápido, y la falta de detalles concretos le resta credibilidad. Alarcón desaprovecha la ocasión de describir las angustias del protagonista a la hora de aprender a tocar la corneta en circunstancias adversas, casi imposibles. Del mismo modo, está poco explicada la conexión entre la locura del protagonista y su prodigiosa habilidad para tocar la corneta. Tampoco queda muy aclarada la vinculación entre esa habilidad-locura y la amistad de los dos amigos. Alarcón se limita a indicar, casi telegráficamente, que la muerte de Ramón hace que Basilio recobre la razón y, al mismo tiempo, pierda su virtuosismo. Y es que el último apartado del cuento resume demasiados temas y demasiados años en muy pocas palabras. El cuento, a diferencia de la novela, no admite más que un solo tema, que debe desarrollarse en un tiempo muy limitado.

El estilo se caracteriza por el uso de la frase corta en la narración y de diálogos cortos y directos, llenos de expresividad. Esto lo hace muy dinámico, adecuado a la rapidez de los acontecimientos, que se suceden unos a otros a un ritmo cada vez más tenso y emocionante. Este ritmo logra atrapar al lector y le hace partícipe de las peripecias del protagonista. Precisamente por eso el desenlace no queda a la altura de las expectativas creadas.

*   *   *

Muy leído hasta mediados del siglo XX, hoy Alarcón, como novelista, ha cedido el lugar de primera fila que ocupó en su momento a otros escritores, como Galdós o «Clarín». Sus novelas carecen de esa voluntad de abarcar el conjunto de la vida social que caracteriza a la mejor narrativa realista. Están, además, lastradas por su afán moralizador, por su afán de convertir la literatura en instrumento de educación moral de la sociedad. De la misma forma, su estilo, cuando se vuelve demasiado retórico, nos produce una sensación de caducidad.

Sin embargo, los relatos breves de Alarcón –incluyendo en ellos *El sombrero de tres picos*– todavía resultan interesantes. Sus defectos como novelista se ven aquí reducidos y compensados por el brillo de sus mejores cualidades: su dominio de la técnica narrativa, su estilo ameno y directo, su capacidad para urdir tramas que intrigan y seducen al lector... Y, para comprobarlo, no es menester servirse de grandes disquisiciones sobre teoría literaria. Basta con recurrir al testimonio de varias generaciones de lectores que, durante toda su vida, han conservado el recuerdo de algún cuento de Alarcón. Esperamos y deseamos que esta vez también ocurra así.

CUENTOS

El carbonero alcalde

I

*O*tro día narraré los trágicos sucesos que precedieron a la entrada de los franceses en la morisca ciudad de Guadix, para que se vea de qué modo sus irritados habitantes arrastraron y dieron muerte al Corregidor[1] don Francisco Trujillo, acusado de no haberse atrevido a salir a hacer frente al ejército napoleónico con los trescientos paisanos armados de escopetas, sables, navajas y hondas de que habría podido disponer para ello...

Hoy, sin otro fin que indicar el estado en que se hallaban las cosas cuando ocurrió el sublime episodio que voy a referir, diré que ya era Capitán General de Granada el Excmo. Sr. Conde D. Horacio Sebastiani, como le llamaban los afrancesados[2], y Gobernador del Corregimiento[3] de Guadix el General Godinot, sucesor del Coronel de Dragones de caballería, núm. 20, monsieur Corvineau, a quien había cabido la gloria de ocupar la ciudad el 16 de febrero de 1810.

Dos meses habían pasado desde esta aborrecida fecha, y las tropas de Napoleón seguían dominando en Guadix por tal arte, que aquella tierra clásica de revoltosos y guerrilleros[1] se hallaba como una balsa de aceite. Apenas se veía algún que otro buen patriota ahorcado en los miradores de las Casas Consistoriales, y ya iban siendo menos sorpren-

---

1 *Corregidor*: cargo judicial y municipal.
2 *afrancesados*: españoles partidarios de José Bonaparte, hermano de Napoleón, y rey de España por imposición de los franceses.
3 *Corregimiento*: territorio sobre el que ejerce su autoridad el Corregidor.

1 En la zona de las Alpujarras se produjeron diversas revueltas de los moriscos, definitivamente sofocadas por Juan de Austria en 1571.

dentes ciertas misteriosas *bajas* del Ejército invasor, ocasionadas, según todo el mundo sabe, por la manía en que dieron los guadijeños, como otros muchos españoles, de arrojar al pozo a sus alojados: comenzaba la plebe a chapurrar el francés, y ya sabían hasta los niños decir «*didón*»[4] para llamar a los conquistadores, lo cual era claro indicio de que la asimilación de españoles y franceses adelantaba mucho, haciendo esperar a los transpirenaicos una pronta identificación de ambos pueblos; ya bailaban nuestras abuelas (es decir, las abuelas de los nietos de señorones afrancesados, que no las mías, a Dios gracias), ya bailaban, digo, con los oficiales vencedores en Marengo, Austerlitz y Wagram[2], y aún había ejemplo de que alguna beldad despreocupada, con peina de teja[5] y vestido de medio paso, que era la suma elegancia en aquel entonces, hubiese mirado con buenos ojos a este o a aquel granadero[6], dragón[7] o húsar[8] nacido en lejas[9] tierras; ya extendían los curiales[10] toda clase de documentos públicos en papel que «había sido» del reinado de Don Fernando VII, y al cual se acababa de poner la siguiente nota: «Valga para el reinado del Rey nuestro Sr. D. José Napoleón I»[3]; ya se dignaban oír misa los domingos y fiestas de guardar aquellos hijos de Voltaire y de Rousseau[4], bien que los generales y jefes superiores la oyesen, como convenía a su alta dignidad, arrellanados en los sillones del presbiterio[11] y fumando en descomunales pipas... (histórico);

---

4 *didón*: apodo despectivo aplicado a los franceses, tomado probablemente de la locución francesa *Dis, donc!*: ¡vaya!, ¡caramba!
5 *peina de teja*: peineta semicircular en forma de teja.
6 *granadero*: soldado de infantería armado con granadas de mano.
7 *dragón*: soldado que se trasladaba a caballo, pero combatía indistintamente a caballo o a pie.
8 *húsar*: soldado de caballería ligera que iba vestido a la húngara.
9 *lejas*: lejanas.
10 *curiales*: empleados de los tribunales de justicia.
11 *presbiterio*: área del altar mayor.

2 Famosas victorias de Napoleón sobre los austríacos en 1800, 1805 y 1809, respectivamente.
3 Los documentos legales iban encabezados por un sello con la efigie del soberano reinante.
4 Conocidos filósofos ilustrados franceses, cuyas ideas se consideran precursoras de la Revolución Francesa.

ya los frailes de San Agustín, San Diego, Santo Domingo y San Francisco habían «consumido» todas las Hostias consagradas y evacuado por fuerza sus conventos para que sirviesen de cuarteles a los galos; ya, en fin, era todo paz varsoviana[12], oficial alegría y entusiasmo bajo pena de muerte en la antigua corte de aquellos otros enemigos de Cristo que reinaron en Guadix por la gracia de Alá y de su profeta Mahoma.

II

Pues he aquí que, en tales circunstancias, tuvo que cerrar sus puertas el matadero de Guadix, por falta de reses que matar. Vacas, bueyes, terneras, carneros, ovejas, cabras..., ¡todos los ganados del territorio habían sido ya devorados por «aquellos naciones», con más todos los jamones, espaldillas, pavos, pollos, gallinas, palomas y conejos caseros de la ciudad, pues nunca se había visto a seres humanos comer tanta «carnaza» a todas horas!...

Las gentes del país, sobrias siempre, a fuer de[13] semiafricanas, seguían alimentándose con vegetales crudos, cocidos o fritos...; ¡pero el Conquistador necesitaba carne, y carne fresca, y mucha, y pronto!...

En tal conflicto, recordó el General francés que el partido[14] de Guadix se componía de varios pueblos, y que la mayor parte de ellos se hallaban aún «por conquistar».

– ¡Es necesario –dijo entonces a sus tropas– que las águilas del Imperio se extiendan por todas partes! Desparramaos por cuantas villas, lugares y cortijos comprende el territorio de mi mando; llevadles la buena nueva del advenimiento de don José I al trono de San Fernando[5]; tomad posesión de

---

12 *paz varsoviana*: paz impuesta por la represión.
13 *a fuer de* : a causa de ser.
14 *partido*: distrito.

5 Fernando III el Santo (1199-1252), rey de Castilla y León, conquistador de gran parte de Andalucía. Por antonomasia, «el trono de San Fernando» designa a la Corona española.

ellos en su nombre, y traedme a la vuelta cuanto ganado encontréis en sus corrales y rediles. ¡Viva el Emperador!

Y, en virtud de esta *orden del día*, salieron diez o doce
columnas, cada una de ciento a doscientos hombres, con
dirección al marquesado del Zenet, a Gor, a los montes y a
los pueblos situados en la falda septentrional de Sierra
Nevada.

Entre estos últimos —y henos ya dentro del episodio que
nos propusimos referir al coger hoy la pluma—, entre los
pueblos que, indiferentes a los adelantos de la civilización,
vegetan al pie del colosal y siempre nevado Mulhacén, es y
era renombrada en veinte leguas a la redonda, por el carácter indómito de sus moradores, por su terrible aspecto,
por el estado casi salvaje de las costumbres y por otras particularidades que ya irán surgiendo de nuestra relación, la
antiquísima villa de Lapeza, célebre en la guerra de los
moriscos, y cuyo arruinado castillejo recuerda aún el nombre de su esforzado Gobernador Bernardino de Villalta,
digno adversario de los secuaces de Abén-Humeya[6].

Era el día 15 de abril del mencionado año de 1810.

La villa de Lapeza ofrecía un espectáculo tan risible
como admirable, tan grotesco como imponente, tan ridículo
como aterrador. Hallábanse cortadas todas sus avenidas por
una muralla de troncos de encina y de otros árboles gigantescos, que la población en masa bajaba del monte vecino,
y con los que formaban pilas no muy fáciles de superar.
Como la mayor parte de aquel vencindario se compone de
carboneros, y el resto de leñadores y pastores, la operación
indicada se llevaba a cabo con inteligencia y celeridad verdaderamente asombrosas.

Aquel recio muro de madera formaba una especie de
torre por el lado frontero al camino de Guadix, y encima de
esta torre habían colocado los lapeceños (¡asómbrense ustedes!) cierto formidable *cañón* fabricado por ellos mismos,
y de que ha quedado imperecedera memoria; el cual consistía en un colosal tronco de encina ahuecado al fuego,

---

6 Jefe de la rebelión morisca durante el reinado de Felipe II.

ceñido con recias cuerdas y redoblados alambres, y cargado hasta la boca con no sé cuántas libras de pólvora y con una infinidad de balas, piedras, pedazos de hierro viejo y otros proyectiles por el estilo...

Contábase además con todas las armas blancas y negras del pueblo y del monte, resultando disponibles unas doce escopetas, más de veinte bocachas y trabucos[15], un cuchillo, puñal o navaja por persona, tres o cuatro docenas de hachas de hacer leña, algunos pistolones de chispas, inmensos montones de piedras de respetable calibre, todas las hondas necesarias para hacerlas volar y una verdadera selva de garrotes y porras de variados gustos.

En cuanto a la *guarnición*, todos los coetáneos del hecho[16] están de acuerdo en que constaría de unos doscientos *hombres*, a quienes sólo se podía llamar así por un exceso de filantropía[17], pues más que hombres parecían orangutanes; entre los cuales figuraba en primera línea, merece especial mención y dará exacta idea de los demás, el General de aquel ejército, el Gobernador de aquella plaza, el Alcalde de Lapeza; Manuel Atienza, en fin, que santa gloria haya.

Era la primera Autoridad de la villa un mortal de cuarenta y cinco a cincuenta años, alto como un ciprés, huesoso o nudoso (que ésta es la verdadera palabra) como un fresno, y fuerte como una encina; aunque, a decir verdad, su largo ejercicio de carbonero habíale requemado y ennegrecido de tal modo, que, de parecer una encina, parecía una encina hecha carbón. Sus uñas eran pedernal; sus dientes, de caoba; sus manos, bronce pavonado[18] por el sol; su cabello, por lo revuelto y empajado, cáñamo sin agramar[19], y por la calidad y el color, el cerro[20] de un jabalí; su pecho, que la abierta camisa dejaba ver de hombro a hombro y del cuello hasta

---

15 *trabuco*: arma de fuego más corta y de mayor calibre que la escopeta; la *bocacha*, o *trabuco naranjero*, es un trabuco de boca acampanada y gran calibre, usado a menudo por los bandoleros.
16 *coetáneos del hecho*: los que lo vivieron.
17 *filantropía*: caridad, humanitarismo.
18 *pavonado*: oscurecido.
19 *agramar*: separar la fibra del tallo.
20 *cerro*: cuello o espinazo de los animales.

el estómago inclusive, parecía cubierto de una piel de caballo que se hubiese arrugado y endurecido a fuerza de estar sobre ascuas, y efectivamente, el cerdoso vello que poblaba su saliente esternón hallábase chamuscado, así como sus pobladas cejas... Y consistía esto en que el señor Alcalde era carbonero (o sea *ranchero de la sierra*, según que ellos se llaman), y había pasado toda su vida en medio de un incendio, como las ánimas del Purgatorio.

Con respecto a los ojos de Manuel Atienza, no podía negarse que *veían*; pero nadie hubiera asegurado nunca que *miraban*. La advertida ignorancia de su merced, junta a la malicia del mozo y a la prevención del hombre entrado en años, aconsejábale no fijar nunca la vista en sus interlocutores, a fin de que no descubriesen las marras[21] de su inteligencia o de su saber; y si la fijaba, era de un modo tan vago, tan receloso, tan solapado[22], que parecía que aquellas pupilas miraban hacia dentro, o que aquel hombre tenía otros dos ojos detrás de las orejas como las lagartijas. Su boca, en fin, era la de un alano[23] viejo; su frente desaparecía debajo de las avanzadas del pelo; su cara relucía como el cordobán[24] curtido, y su voz, ronca como un trabucazo, tenía ciertas notas ásperas y bruscas como el golpe del hacha sobre la leña.

De su traje, no hay que decir, por ser cosa de cajón entre la gente rica de aquellos pueblos, que consistía en unas albarcas[25] de piel toro, tomiza[26] y parella[27]; medias de lana; calzón corto, de paño burdo muy oscuro; chaqueta de lo mismo; chaleco celeste, de raso, rameado de amarillo; canana[28] de cuero, en vez de faja, y un enorme sombrero,

---

21 *marras*: insuficiencias.
22 *solapado*: disimulado, taimado.
23 *alano*: perro corpulento de cabeza grande, orejas caídas, cola larga y pelo corto.
24 *cordobán*: piel de cabra curtida.
25 *albarcas*: abarcas, calzado cuya planta de goma o cuero se asegura con correas sobre el empeine y el tobillo.
26 *tomiza*: cuerda de esparto.
27 *parella*: paño, especie de delantal usado por los carboneros.
28 *canana*: cinto para llevar cartuchos.

bajo cuya ala, ribeteada de felpa, sesteaba muy cómoda-
mente toda su autoridad...

Y, a propósito de autoridad, añadiré para concluir, que
la vara de alcalde le llegaba al hombro, y que sus dos borlas
negras, del tamaño de dos naranjas, denunciaban a un tiro
de bala a todo *un hombre de orden*, que diríamos ahora.

Tal era el Alcalde de Lapeza, y a su tenor todos sus su-
bordinados. Si creéis exagerada la descripción, tened presente que la raza de los lapeceños no ha degenerado ni se
ha modificado con los años transcurridos. ¡Id allá, y os asombraréis, como yo, de que en España y a mediados del siglo
XIX existan todas las maravillas del África meridional!

III

Pero las obras de fortificación están terminadas y el armamento distribuido equitativamente.

Atienza ha mandado a Jacinto que vaya a su casa por un
antiquísimo tambor, que sirve para las procesiones, para los
toros y para pregonar los bandos.

Jacinto –que, dicho sea entre paréntesis, era el alguacil,
y de alguacil ha muerto en el presente año de 1859– acude
ya tocando generala[29].

– ¡A la formación! –grita el síndico[30]; persona muy perita[31] en el arte militar, como que ha servido al señor Rey
Don Carlos IV[7] en clase de ranchero de una compañía de
cazadores[32]...

Los doscientos lapeceños toman las armas y se forman
en batalla enfrente del Ayuntamiento.

Atienza empuña entonces una larga y negra espada antigua de ancha cazoleta[33] y extensos gavilanes[34]; cuelga de su

---

29 *generala*: toque de movilización general.
30 *síndico*: cargo municipal.
31 *perita*: experta.
32 *cazadores*: soldados equipados con armamento ligero.
33 *cazoleta*: pieza de la espada que protege la mano.
34 *gavilanes*: piezas que forman la cruz de la espada.

7 Rey de España de 1789 a 1808, año en que tuvo que ceder la corona a su hijo
Fernando VII.

canana una pistola de arzón[35]; coge con la mano izquierda
la vara de Alcalde, ni más ni menos que haría con su bastón
un mariscal de Francia, y, seguido de un brillante Estado
Mayor, compuesto del alguacil, del pregonero o *peón público*
y del *Infrascrito*, que es como, por antonomasia, llama su
mujer al fiel de fechos[36], pasa revista a sus formidables hues-
tes, que le presentan las armas o tiran por alto monteras y
sombreros.

– ¡Viva el señor Alcalde! –gritan o ladran aquellos fu-
turos héroes.

A lo que Atienza replica:

– ¡Qué alcalde ni qué cuerno! ¡Viva Dios! ¡Viva Lapeza!
¡Viva la independencia española!

Y, una vez cambiado este saludo de guerra, su merced
ordena a Jacinto que toque un largo redoble; llama a su lado
al pregonero, y, por boca de éste, que repite una a una y
hasta media a media las palabras del caudillo, pronuncia la
siguiente proclama, no escrita:

«Por–noticias–del tío Piorno–se ha sabido–que–el enemigo de la patria–viene hoy a Lapeza–a conquistarnos–y–
robarnos los bienes;–y–nosotros–con la bendición del señor
cura–y el auxilio–de nuestra santa patrona–la Virgen del
Rosario,–vamos a defendernos–como buenos españoles–y a
mostrar–a la ciudad de Guadix,–que–si ella–se ha entregado
al francés,–los–vecinos de Lapeza–saben morir,–como murieron–los vecinos de Madrid–el día dos de mayo–o–vencer–
como vencieron–los vecinos de Bailén[8]–hace dos años;–y, en
su virtud,–el Alcalde–hace saber–a estos vecinos–que–el
que no perezca–en el presente día–defendiendo su casa,–
será declarado–mal español–y traidor a la patria–y morirá,
–como corresponde,–colgado de una encina de la sierra.–Y
para que conste,–no sabiendo firmar,–lo que hace su merced–con la cruz que acostumbra,–de que certifica–el infras-

---

35 *pistola de arzón*: que se lleva en la silla de montar.
36 *fiel de fechos*: escribano.

8 Victoria de los españoles sobre los franceses, en 1808, en el pueblo del mismo
   nombre de la provincia de Jaén.

crito.–¡Viva Dios!–¡Viva la Virgen!–¡Viva España!–¡Viva Fernando VII!–¡Muera *Pepe Botella*[9]!–¡Mueran los franceses!–¡Muera Godinot!–¡Mueran los traidores!»

Esta mezcla de proclama guerrera y de actuación judicial produjo extraordinario efecto en los lapeceños.

Manuel Atienza hizo la cruz con los dedos, y la besó al llegar a lo de la firma; el secretario certificó con un movimiento de cabeza; el pregonero cumplimentó al Alcalde por lo bien que había improvisado su discurso; Jacinto tocó otro redoble de tambor, y los vivas, los bailes y los himnos patrióticos dieron fin a aquella cómica *loa*[37] de una verdadera tragedia.

– ¡Cada uno a su puesto! –exclamó entonces el síndico.

Y unos coronaron la fortaleza de madera; otros se montaron en el cañón, provistos de una larga mecha; los gañanes[38] más diestros en el manejo de la honda subieron a la alcazaba[39] morisca; los tiradores o escopeteros salieron de descubierta al camino de Guadix, y el Alcalde se colocó en un punto que dominaba todo el futuro campo de batalla, teniendo a su lado a Jacinto, a fin de que con un redoble de tambor diese la señal de fuego.

Entre tanto, el Cura bendecía y absolvía una vez más a sus animosos feligreses y se dedicaba, con el albéitar[40], el sacristán y el sepulturero, a preparar vendajes, el Santo Óleo y unas angarillas, para el socorro de los heridos y muertos.

Casi todas las mujeres rezaban en la iglesia; y, en cuanto a los niños, habíase dispuesto aquella mañana mandarlos todos a lo alto de Sierra Nevada, a fin de que sus vidas no corriesen peligro y pudieran servir, andando los años, para rechazar otra invasión extranjera.

---

37 *loa*: poema que se recitaba antes de la representación de una obra.
38 *gañanes*: mozos.
39 *alcazaba*: fortaleza.
40 *albéitar*: veterinario.

9 Apodo dado por los españoles a José Bonaparte, al que, sin razón, consideraban alcohólico.

IV

Las tres de la tarde serían cuando una nube de polvo indicó a los lapeceños la proximidad del enemigo.

Algunos tiros de las primeras avanzadas corroboraron poco después aquella indicación.

Los lapeceños saltaron de entusiasmo y al mismo tiempo, por disposición final del señor Alcalde, izáronse en la antigua fortaleza de los moros y en el parapeto de encina dos o tres banderas hechas con pañuelos negros.

Las campanas, tocaron a rebato[41]; muchas viejas empezaron a gritar y los mozos a lanzar silbidos; algunas piedras zumbaron en el espacio, y los escopetazos del camino oyéronse más frecuentes y más próximos.

Un momento después los tiradores se replegaron hacia la villa, cargando nuevamente sus armas, y los primeros cascos, corazas y bayonetas del ejército invasor relucieron al alcance de los trabucos.

– ¿Cuántos vienen? –preguntó Manuel Atienza a uno de los que más habían avanzado.

– ¡Vendrán doscientos! –respondió éste.

– ¡Somos fuerzas iguales! –exclamó el carbonero con desdeñosa arrogancia, sin considerar que doscientos rústicos mal armados no significan lo que doscientos veteranos avezados a las lides y acometiendo con excelentes armas.

– Pero, ¡traen caballería!... –añadió un segundo escopetero.

– ¡Repito que somos fuerzas iguales! –volvió a decir Manuel Atienza–. ¡A ver, Jacinto!, que suene ese tambor... ¡España y a ellos! ¡Viva la Virgen!

Jacinto dio la señal ansiada, y una nube de piedras y de balas, cayendo sobre los franceses, los obligó a hacer alto.

Un momento después contestaron éstos con una nutrida descarga, que dejó fuera de combate a cinco lapeceños.

– ¡Alto el fuego! –gritó entonces el Alcalde–. Están todavía muy lejos y tenemos poca pólvora. Dejémosles acercarse... Ya sabéis que el cañón se reserva para lo último, y

---

41 *rebato*: toque de alarma.

que hasta que yo tire el sombrero no se le arrima la mecha...
Ustedes, señoras, ¡a ver si se callan y cuidan de los heridos!
  – ¡Ya se acercan otra vez!
  – ¡Nada!... ¡Todo el mundo quieto!
  – ¡Ya apuntan!...
  – ¡Todo el mundo a tierra!
Una segunda descarga vino a estrellarse en los troncos
de encina, y los franceses avanzaron hasta hallarse a unos
veinte pasos del ejército sitiado.
Los peones se replegaron a los dos lados del camino,
dejando paso a la caballería...
  – ¡Fuego! –exclamó entonces el Alcalde con una voz
igual a la de la pólvora, mientras que arrojaba el sombrero
por alto y se plantaba en medio del mayor peligro.
¡Allí fue lo horrible! ¡Allí fue lo inenarrable!
Franceses y españoles dispararon sus armas a un mismo
tiempo, sembrando la tierra de cadáveres; la caballería apro-
vechó este momento para llegar al pie de la muralla, pre-
sumiendo sin duda poderla asaltar con sus impetuosos bridones[42]; centenares de piedras derrumbaron a caballos y
jinetes: éstos empezaron por su parte a degollar a mansalva;
y en aquel supremo tumulto, en medio de aquel estrago, de
aquel torbellino, de aquella confusión, he aquí que estalla
por último el tremendo cañonazo, produciendo un estampido
fragoroso y llevando la muerte a sitiados y sitiadores.
¡Y era que el *cañón* había reventado a tiempo de dispa-
rar; era que la encina hecha pedazos vomitaba la metralla
en todas direcciones, lo mismo hacia atrás que hacia adelante y por los costados, revuelta con mil fragmentos de
madera que silbaban al hender el aire; era que la expansión
de tanta pólvora inflamada había hecho rodar los troncos
en que se apoyaba el *cañón*, y estos troncos aplastaron a
españoles y franceses! Fue aquello, pues, un caos de humo,
de polvo, de rugidos, de lamentos, de relinchos, de llamas,
de sangre, de cadáveres deshechos, cuyos miembros vola-
ban todavía o volvían a la tierra entre balas, piedras y otros
proyectiles; de caballos sueltos que huían coceando; de pa-

---

42 *bridones*: caballos briosos.

los de ciego, dados sobre amigos y enemigos por los lapeceños que aún seguían en pie, y de puñaladas, pistoletazos
y pedradas, que venían de abajo, de arriba, de todas partes,
como si hubiese llegado el fin del mundo...

Y en esta tempestad, en este infierno, percibíanse juntos
el toque de retirada de la corneta francesa y el redoble del
tambor lapeceño tocando a generala, en tanto que la voz del
formidable carbonero, del invencible Alcalde, del invulne-
rable Atienza, sobresalía entre el común estruendo, gritando
desaforadamente:

– ¡Duro en ellos, muchachos! ¡Hasta que no quede uno!
¡Ya deben de quedar pocos!

Y era verdad; pero también era cierto que quedaban
menos españoles. El cañón de encina había hecho más des-
trozos entre los lapeceños que entre los franceses.

Sin embargo, como estos últimos ignoraban los medios
de defensa que aún podían tener reservados aquellos demonios; como tampoco sabían su número; y como todo lo
temían ya de ellos, pensaron en salvarse a toda prisa; y,
desordenados, dispersos, atropellando la caballería a la infantería y desoyendo los soldados las voces de sus jefes,
emprendieron una retirada muy semejante a una fuga, per-
seguidos por los gañanes, que aún tenían a su disposición
tres leguas cubiertas de proyectiles para sus hondas, y por
algunos escopeteros a quienes quedaban cartuchos.

Apedreados, pues, fusilados, ennegrecidos por la pólvora, cubiertos de sangre, de sudor y polvo, y habiendo dejado cien hombres en Lapeza y en el camino, entraron en
Guadix a las ocho de la noche los vencedores de Egipto,
Italia y Alemania, vencidos aquel día por una «fuerza inferior» de pastores y carboneros.

V

El sangriento drama que acabamos de referir no podía
menos de tener un tremendo epílogo.

Imagínense nuestros lectores la sorpresa y la ira del general Godinot al saber lo acontecido en Lapeza.

– ¡No dejaré en ella piedra sobre piedra! –exclamó el vengativo galo...

Y cuatro días después salían con dirección a la villa gobernada por Atienza dos mil cuatrocientos hombres de todas armas, al mando de un Oficial General, y con tantos víveres y municiones como si se tratara de sitiar una plaza fuerte.

Aquel numeroso ejército dio vista a Lapeza a las nueve de la mañana.

A nadie encontraron en el camino; ni un tiro, ni una pedrada los recibió. Todo era silencio y soledad en la ensangrentada villa.

La destruida muralla de troncos no había sido recompuesta, y las campanas no hacían señal de la llegada del enemigo...

Así entraron en el pueblo los irritados invasores.

Y allí debió de cruzar por su mente una especie de profecía de lo que más tarde les aconteció en Rusia[10]. Lapeza estaba despoblada, ni más ni menos que Moscú cuando penetró en ella Napoleón el Grande.

Los lobos, hartos de carnicería, habían vuelto a internarse en la sierra.

Sólo algunas pobres mujeres, que habían bajado aquel día a dar una vuelta por sus abandonados hogares y en busca de víveres para los emigrados, fueron halladas en los rincones de la iglesia, adonde se habían guarecido, creyendo que allí las respetarían los ilustres conquistadores...

Mas ¡ay!, no... Que, a falta de varones fuertes que vencer, ofrecióles allí la pérfida fortuna míseras doncellas que ultrajar, inocencia que escarnecer, virtud que recubrir de oprobio y amargura.

¡Apartemos los ojos de aquellas infamias, muchas veces repetidas por los vencedores de Europa, durante su odiosa dominación en España! ¡Maldición y vergüenza a los que emplean en el crimen la victoria! ¡Horror eterno a las armas extranjeras!

Ufanos y satisfechos volvían hacia Guadix aquellos hé-

---

10 Alude a la desastrosa campaña de Napoleón en Rusia, en 1812.

roes llevando, como únicos prisioneros hechos en aquella ruidosa expedición, un inerme anciano, decrépito y enfermo, que encontraron en una choza, y un tímido adolescente que lo cuidaba, cuando la noticia de lo que sucedía en sus hogares, divulgada en la sierra por alguna atribulada fugitiva, precipitó sobre el camino a los enfurecidos padres, hermanos y novios, que bajaban de las alturas como despeñados torrentes.

Empezó entonces un tremendo combate a *salto de mata* (esta es su gráfica calificación) entre los cien vecinos que aún había a las órdenes de Atienza y los dos mil cuatrocientos expedicionarios franceses.

Una vez lanzado el reto y trabada la lid, los lapeceños empezaron a batirse en retirada, a la usanza mora, con el fin de internar a los enemigos en las fragosidades de la sierra.

Estos cometieron la imprudencia de caer en el lazo; y, si bien es verdad que sus terribles armas casi concluyeron con aquel puñado de valientes, no lo es menos que compraron la vida de cada uno con diez bajas en sus batallones.

Las ásperas rocas, los verdes barrancos, los matorrales y los abismos quedaron sembrados de cadáveres franceses...

Fue una de tantas poco sabidas pérdidas como tuvieron en España los ejércitos napoleónicos; pérdidas que no constaban en los boletines de las grandes batallas; pero que al cabo de la guerra de la Independencia dieron la enorme suma de medio millón de soldados imperiales muertos o perdidos en nuestra península.

Concluyamos.

Atienza —o *Atencia*, que es como el señor Alcalde pronuncia su apellido, aumentando su energía con esta variante—, el invicto carbonero, que ha presentado dos batallas en cuatro días a las tropas de Bonaparte, hállase de pie sobre una altísima peña, rodeada de franceses, acorralado, perdido, cargando su naranjero[43] con el último cartucho, con la cabeza vendada de resultas del combate del día 15, recien-

---

43 *naranjero*: véase p. 9, n. 15.

temente herido en el pecho, todo cubierto de sangre, llevando al cinto la vara de su jurisdicción, como hiciera con la suya un arriero, y respondiendo a las intimaciones que le hacen de que se rinda, con risotadas salvajes, cuyos ecos repiten los abismos de la quebrada sierra.

Cien balas silban continuamente en torno suyo; pero él las esquiva, saltando de un lado a otro, irguiéndose o agachándose, ágil, súbito, elástico, como tigre que va y viene sin cesar, se encoge, brinca, acude a todas partes, y aterra tanto en la defensa como en la acometida.

Dispara, por fin, el último trabucazo, trazando en torno suyo un semicírculo con la tremenda arma, como si quisiese rociar de balas el monte: alcánzale en esto otro tiro en el vientre, lo que le arranca un rugido pavoroso: conoce que va a morir: arroja el trabuco, no sin mirarlo con enojo, al considerarlo ya inofensivo: sácase del cinto el enorme bastón que conocemos; y, dirigiéndose a un coronel que le insta en mal español para que se entregue:

— ¡Yo no me rindo! –dice–. ¡Yo soy la villa de Lapeza, que muere antes de entregarse!

Y rompiendo el bastón entre sus manos, lo arroja a la faz de los franceses, y él se precipita detrás, cayendo contra las peñas de un hondo barranco, donde sus huesos de bronce crujen al saltar hechos astillas.

¡Ni tan siquiera de su cadáver logró apoderarse el enemigo!

VI

Lapeza es ya de los franceses.

El general Godinot recibe la fausta nueva de boca del Jefe expedicionario.

— ¿Cuántos prisioneros traéis? –le pregunta–. ¡Necesitamos ahorcarlos, para que escarmienten los demás pueblos del partido!

— Sólo traigo dos: un viejo y un muchacho. ¡En toda la villa no encontré más enemigos! –responde el Jefe bajando los ojos.

Entonces Godinot no puede menos de admirar la actitud

verdaderamente antigua, clásica, espartana[44] de aquellos montañeses. Pero, con todo, insiste en que sean ahorcados los dos débiles prisioneros.

Nuestros padres nos han referido muchas veces los pormenores de aquella ejecución...

Pero nosotros la contaremos rápidamente...

Son de índole demasiado feroz para que la pluma se detenga en su relato.

Ataron una cuerda al cuello del niño, y lo arrojaron desde un mirador de la casa del Ayuntamiento a la plaza mayor de Guadix.

Rompióse la cuerda, y el niño cayó contra el empedrado.

Anudaron la parte rota; tornaron a subir a la pobre criatura: colgáronlo de nuevo, y la cuerda se volvió a romper.

El niño quedó en el suelo sin poder moverse. No había muerto; pero todos sus remos se habían roto.

Entonces, un oficial de dragones, conmovido al mirar que se pensaba en colgarlo por tercera vez, llegóse al infeliz... y le deshizo la cabeza de un pistoletazo.

Saciada de este modo, al menos por aquel día, la ferocidad de los vencedores, dignáronse perdonar al anciano enfermo, el cual había presenciado toda la anterior escena acurrucado al pie de una columna, esperando a que le llegase su vez de ser ahorcado...

Diéronle, pues, libertad; y el pobre viejo salió de la plaza corriendo y tambaleándose, y tomó el camino de su pueblo, donde murió de tristeza aquella misma noche.

¡El niño asesinado en Guadix... era su hijo!

---

44 *espartana*: propia de los antiguos espartanos, famosos por su austeridad y disciplina guerrera.

El clavo

CAUSA[1] CÉLEBRE

---

1 *causa*: caso judicial.

I

EL NÚMERO 1

*L*o que más ardientemente desea todo el que pone el pie en el estribo de una diligencia para emprender un largo viaje es que los compañeros de departamento que le toquen en suerte sean de amena conversación y tengan sus mismos gustos, sus mismos vicios, pocas impertinencias, buena educación y una franqueza que no raye en familiaridad.

Porque, como ya han dicho y demostrado Larra[1], Kock, Soulié[2] y otros escritores de costumbres, es asunto muy serio esa improvisada e íntima reunión de dos o más personas que nunca se han visto, ni quizás han de volver a verse sobre la tierra, y destinadas, sin embargo, por un capricho del azar, a codearse dos o tres días, a almorzar, comer y cenar juntas, a dormir una encima de otra, a manifestarse, en fin, recíprocamente con ese abandono y confianza que no concedemos ni aun a nuestros mayores amigos; esto es, con los hábitos y flaquezas de casa y de familia.

Al abrir la portezuela acuden tumultuosos temores a la imaginación. Una vieja con asma, un fumador de mal tabaco, una fea que no tolere el humo del bueno, una nodriza que se maree de ir en carruaje, angelitos que lloren y demás, un hombre grave que ronque, una venerable matrona que ocupe asiento y medio, un inglés que no hable el español

---

1 Escritor romántico, autor de artículos de costumbres con los que intentaba reformar la sociedad española.
2 Escritores franceses de la primera mitad del siglo XIX, autores de novelas de folletín y artículos de costumbres.

(supongo que vosotros no habláis el inglés), tales son, entre otros, los tipos que teméis encontrar.

Alguna vez acariciáis la dulce esperanza de hallaros con una hermosa compañera de viaje; por ejemplo, con una viudita de veinte a treinta años (y aun de treinta y seis) con quien sobrellevar a medias las molestias del camino; pero no bien os ha sonreído esta idea, cuando os apresuráis a desecharla melancólicamente, considerando que tal aventura sería demasiada para un simple mortal en este valle de lágrimas y despropósitos.

Con tan amargos recelos ponía yo el pie en el estribo de la berlina[2] de la diligencia de Granada a Málaga, a las once menos cinco minutos de una noche del otoño de 1844; noche oscura y tempestuosa, por más señas.

Al penetrar en el coche, con el billete número 2 en el bolsillo, mi primer pensamiento fue saludar a aquel incógnito número 1 que me traía inquieto antes de serme conocido.

Es de advertir que el tercer asiento de la berlina no estaba tomado, según confesión del mayoral en jefe.

— ¡Buenas noches! —dije, no bien me senté, enfilando la voz hacia el rincón en que suponía a mi compañero de jaula.

Un silencio tan profundo como la oscuridad reinante siguió a mis «buenas noches».

«¡Diantre!», pensé. «¿Si será sordo..., o sorda, mi epiceno[3] cofrade[4]?»

Y alzando más la voz, repetí:

— ¡Buenas noches!

Igual silencio sucedió a mi segunda salutación.

«¿Si será mudo?», me dije entonces.

A todo esto la diligencia había echado a andar, digo, a correr, arrastrada por diez briosos caballos.

Mi perplejidad subía de punto.

¿Con quién iba? ¿Con un varón? ¿Con una hembra? ¿Con

---

2 *berlina*: departamento cerrado, con una sola fila de asientos.
3 *epiceno*: de sexo indeterminado.
4 *cofrade*: compañera.

una vaca? ¿Con una joven? ¿Quién, quién era aquel silencioso número 1?

Y, fuera quien fuese, ¿por qué callaba? ¿Por qué no respondía a mi saludo? ¿Estaría ebrio? ¿Se habría dormido? ¿Se habría muerto? ¿Sería un ladrón?...

Era cosa de encender luz. Pero yo no fumaba entonces, y no tenía fósforos.

¿Qué hacer?

Por aquí iba en mis reflexiones, cuando se me ocurrió apelar al sentido del tacto, pues que tan ineficaces eran el de la vista y el del oído...

Con más tiento, pues, que emplea un pobre diablo para robarnos el pañuelo en la Puerta del Sol, extendí la mano derecha hacia aquel ángulo del coche.

Mi dorado deseo era tropezar con una falda de seda, o de lana, y aun de percal[5]...

Avancé, pues...

¡Nada!

Avancé más: extendí todo el brazo... ¡Nada!

Avancé de nuevo; palpé con entera resolución en un lado, en otro, en los cuatro rincones, debajo de los asientos, en las correas del techo...

¡Nada..., nada!

En este momento brilló un relámpago (ya he dicho que había tempestad), y a su luz sulfúrea vi... ¡que iba completamente solo!

Solté una carcajada, burlándome de mí mismo, y precisamente en aquel instante se detuvo la diligencia.

Estábamos en el primer relevo.

Ya me disponía a preguntarle al mayoral por el viajero que faltaba, cuando se abrió la portezuela, y, a la luz de un farol que llevaba el zagal, vi... ¡Me pareció un sueño lo que vi!

Vi poner el pie en el estribo de la berlina (¡de mi departamento!) a una hermosísima mujer, joven, elegante, pálida, sola, vestida de luto...

---

5 *percal*: tela sencilla, de algodón, empleada para vestidos de poco valor. Con estos tipos de tela el narrador se refiere a distintas clases sociales.

Era el número 1; era mi antes epiceno compañero de viaje; era la viuda de mis esperanzas; era la realización del sueño que apenas había osado concebir, era el *non plus ultra*[6] de mis ilusiones de viajero... ¡Era *ella*!

II

ESCARAMUZAS

Luego que hube dado la mano a la desconocida para ayudarla a subir, y que ella tomó asiento a mi lado, murmurando un «Gracias... Buenas noches...» que me llegó al corazón, ocurrióseme esta idea tristísima y desgarradora:

«¡De aquí a Málaga sólo hay dieciocho leguas! ¡Que no fuéramos a la península de Kamtchatka[3]!»

Entre tanto, se cerró la portezuela y quedamos a oscuras. Esto significaba ¡no verla!

Yo pedía relámpagos al cielo, como el Alfonso Munio de la señora Avellaneda[4], cuando dice:

¡Horrible tempestad, mándame un rayo!

Pero, ¡oh, dolor!, la tormenta se retiraba ya hacia el Mediodía.

Y no era lo peor no verla, sino el aire severo y triste de la gentil señora que me había impuesto de tal modo, que no me atrevía a cosa ninguna...

Sin embargo, pasados algunos minutos, le hice aquellas primeras preguntas y observaciones de cajón, que establecen poco a poco cierta intimidad entre los viajeros:

– ¿Va usted bien?

– ¿Se dirige usted a Málaga?

– ¿Le ha gustado a usted la Alhambra?

---

6 *el non plus ultra*: el no va más.

3 Península siberiana, de clima polar, situada en el extremo nordeste de la Unión Soviética.

4 Escritora romántica española, de origen cubano, autora del drama *Alfonso Munio* (1844).

– ¿Viene usted de Granada?

– ¡Está la noche húmeda!

A lo que respondió ella:

– Gracias.

– Sí.

– No, señor.

– ¡Oh!

– ¡Pchis!

Seguramente, mi compañera de viaje tenía poca gana de conversación.

Dediquéme, pues, a coordinar mejores preguntas, y, viendo que no se me ocurrían, me puse a reflexionar.

¿Por qué había subido aquella mujer en el primer relevo de tiro, y no desde Granada?

¿Por qué iba sola?

¿Era casada?

¿Era viuda?

¿Era...?

¿Y su tristeza? *Qua de causa*[7]?

Sin ser indiscreto no podía hallar la solución de estas cuestiones, y la viajera me gustaba demasiado para que yo corriese el riesgo de parecerle un hombre vulgar dirigiéndole necias preguntas.

¡Cómo deseaba que amaneciera!

De día se habla con justificada libertad..., mientras que la conversación a oscuras tiene algo de tacto, va derecha al bulto, es un abuso de confianza...

La desconocida no durmió en toda la noche, según deduje de su respiración y de los suspiros que lanzaba de vez en cuando...

Creo inútil decir que yo tampoco pude coger el sueño.

– ¿Está usted indispuesta? –le pregunté una de las veces que se quejó.

– No, señor; gracias. Ruego a usted que se duerma descuidado... –respondió con seria afabilidad.

– ¡Dormirme! –exclamé.

---

7 *qua de causa?*: ¿cuál era su causa?

Luego añadí:

— Creí que padecía usted...

— ¡Oh!, no..., no padezco –murmuró blandamente, pero con un acento en que llegué a percibir cierta amargura.

El resto de la noche no dio de sí más que breves diálogos como el anterior.

Amaneció, al fin...

¡Qué hermosa era!

Pero, ¡qué sello de dolor sobre su frente! ¡Qué lúgubre oscuridad en sus bellos ojos! ¡Qué trágica expresión en todo su semblante! Algo muy triste había en el fondo de su alma.

Y, sin embargo, no era una de aquellas mujeres excepcionales, extravagantes, de corte romántico, que viven fuera del mundo devorando algún pesar o representando alguna tragedia...

Era una mujer a la moda, una elegante mujer, de porte distinguido, cuya menor palabra dejaba traslucir una de esas reinas de la conversación y del buen gusto, que tienen por trono una butaca de su gabinete[8], una carretela[9] en el Prado o un palco en la Ópera; pero que callan fuera de su elemento, o sea fuera del círculo de sus iguales.

Con la llegada del día se alegró algo la encantadora viajera, y ya consistiese en que mi circunspección de toda la noche y la gravedad de mi fisonomía le inspirasen buena idea de mi persona, ya en que quisiera recompensar al hombre a quien no había dejado dormir, fue el caso que inició a su vez las cuestiones de ordenanza:

— ¿Dónde va usted?

— ¡Va a hacer un buen día!

— ¡Qué hermoso paisaje!

A lo que contesté más extensamente que ella me había contestado a mí.

Almorzamos en Colmenar.

Los viajeros del interior y de la rotonda[10] eran personas poco tratables.

---

8 *gabinete*: habitación para recibir visitas, menos importante que el salón.
9 *carretela*: carruaje de cuatro asientos con cubierta plegable. Era típico del paseo señorial que entonces era el Prado madrileño.
10 *rotonda*: departamento trasero de la diligencia.

Mi compañera se redujo a hablar conmigo.

Excusado es decir que yo estuve enteramente consagrado a ella y que la atendí en la mesa como a una persona real.

De vuelta en el coche, nos tratábamos ya con alguna confianza.

En la mesa habíamos hablado de Madrid, y hablar bien de Madrid a una madrileña que se halla lejos de la corte, es la mejor de las recomendaciones.

¡Porque nada es tan seductor como Madrid perdido!

«¡Ahora o nunca, Felipe!», me dije entonces. «Quedan ocho leguas... Abordemos la cuestión amorosa.»

III

CATÁSTROFE

¡Desventurado! No bien dije una palabra galante a la beldad, conocí que había puesto el dedo sobre una herida...

En el momento perdí todo lo que había ganado en su opinión.

Así me lo dijo una mirada indefinible que cortó la voz de mis labios.

– Gracias, señor, gracias –me dijo luego, al ver que cambiaba de conversación.

– ¿He enojado a usted, señora?

– Sí; el amor me horroriza. ¡Qué triste es inspirar lo que no se siente! ¿Qué haría yo para no agradar a nadie?

– ¡Algo es menester que usted haga, si no se complace en el daño ajeno!... –repuse muy seriamente–. La prueba es que aquí me tiene pesaroso de haberla conocido... ¡Ya que no feliz, por lo menos yo vivía ayer en paz..., y ya soy desgraciado, puesto que la amo a usted sin esperanza!

– Le queda a usted una satisfacción, amigo mío... –replicó ella sonriendo.

– ¿Cuál?

– Que si no acojo su amor, no es por ser suyo, sino porque es amor. Puede usted, pues, estar seguro de que ni hoy, ni

mañana, ni nunca... obtendrá otro hombre la correspondencia que le niego. ¡Yo no amaré jamás a nadie!

— Pero, ¿por qué, señora?

— ¡Porque el corazón no quiere, porque no puede, porque
no debe luchar más! ¡Porque he amado hasta el delirio..., y
he sido engañada! En fin, ¡porque aborrezco el amor!

¡Magnífico discurso! Yo no estaba enamorado de aquella
mujer. Inspirábame curiosidad y deseo, por lo distinguida y
por lo bella; pero de esto a una pasión había todavía mucha
distancia.

Así, pues, al escuchar aquellas dolorosas y terminantes
palabras, dejó la contienda mi corazón de hombre y entró
en ejercicio mi imaginación de artista. Quiere esto decir que
comencé a hablar a la desconocida un lenguaje filosófico y
moral del mejor gusto, con el que logré reconquistar su confianza, o sea que me dijese algunas otras generalidades me-
lancólicas del género Balzac[5].

Así llegamos a Málaga.

Era el instante más oportuno para saber el nombre de
aquella singularísima señora.

Al despedirme de ella en la Administración, le dije cómo
se llamaba, la casa donde iba a parar y mis señas en Madrid.

Ella me contestó con un tono que nunca olvidaré:

— Doy a usted mil gracias por las amables atenciones
que le he merecido durante el viaje, y le suplico que me
dispense si le oculto mi nombre, en vez de darle uno fingido,
que es con el que aparezco en la hoja[11].

— ¡Ah! —respondí—. ¡Luego nunca volveremos a vernos!

— ¡Nunca!..., lo cual no debe pesarle.

Dicho esto, la joven sonrió sin alegría, tendióme una
mano con exquisita gracia, y murmuró:

— Pida usted a Dios por mí.

Yo estreché su mano linda y delicada, y terminé con un
saludo aquella escena, que empezaba a hacerme mucho
daño.

---

11 *hoja*: lista en la que se apuntaban los nombres de los viajeros.

5 Novelista francés (1799-1850), iniciador de la novela realista.

En esto llegó un elegante coche al parador.

Un lacayo con librea[12] negra avisó a la desconocida.

Subió ella al carruaje; saludóme de nuevo, y desapareció por la Puerta del Mar.

. . .   .

Dos meses después volví a encontrarla.

Sepamos dónde.

IV

OTRO VIAJE

A las dos de la tarde del 1.º de noviembre de aquel mismo año caminaba yo sobre un mal rocín de alquiler por el arrecife que conduce a ......, villa importante y cabeza de partido[13] de la provincia de Córdoba.

Mi criado y el equipaje iban en otro rocín mucho peor.

Dirigíame a ...... con objeto de arrendar unas tierras y permanecer tres o cuatro semanas en casa del Juez de primera instancia, íntimo amigo mío, a quien conocí en la Universidad de Granada cuando ambos estudiábamos jurisprudencia, y donde simpatizamos, contrajimos estrecha amistad y fuimos inseparables. Después no nos habíamos visto en siete años.

Según iba aproximándome a la población término de mi viaje, llegaba más distintamente a mis oídos el melancólico clamoreo de muchas campanas que tocaban a muerto.

Maldita la gracia que me hizo tan lúgubre coincidencia.

Sin embargo, aquel doble no tenía nada de casual y yo debí contar con él, en atención a ser víspera del día de Difuntos.

Llegué, con todo, muy de mal humor a los brazos de mi amigo, que me aguardaba en las afueras del pueblo.

Él advirtió al momento mi preocupación, y después de los primeros saludos:

---

12 *librea*: uniforme con levita que llevan los criados o lacayos.

13 *cabeza de partido*: población principal de un partido o distrito.

– ¿Qué tienes? –me dijo, dándome el brazo, en tanto que sus criados y el mío se alejaban con las cabalgaduras.

– Hombre, seré franco... –le contesté–. Nunca he merecido, ni pienso merecer, que me eleven arcos de triunfo; nunca he experimentado ese inmenso júbilo que llenará el corazón de un grande hombre en el momento que un pueblo alborozado sale a recibirlo, mientras que las campanas repican a vuelo; pero...

– ¿Adónde vas a parar?

– A la segunda parte de mi discurso. Y es: que si en este pueblo no he experimentado los honores de la entrada triunfal, acabo de ser objeto de otros muy parecidos, aunque enteramente opuestos. ¡Confiesa, oh juez de palo[14], que esos clamores funerales que solemnizan mi entrada en ...... hubieran contristado al hombre más jovial del universo!

– ¡Bravo, Felipe! –replicó el juez, a quien llamaremos Joaquín Zarco–. ¡Vienes muy a mi gusto! Esa melancolía cuadra perfectamente a mi tristeza...

– ¡Tú triste!... ¿De cuándo acá?

Joaquín se encogió de hombros, y no sin trabajo retuvo un gemido...

Cuando dos amigos que se quieren de verdad vuelven a verse después de larga separación, parece como que resucitan todas las penas que no han llorado juntos.

Yo me hice el desentendido por el momento, y hablé a Zarco de cosas indiferentes.

En esto penetramos en su elegante casa.

– ¡Diantre, amigo mío! –no pude menos de exclamar–. ¡Vives muy bien alojado!... ¡Qué orden, qué gusto en todo! ¡Necio de mí!... Ya caigo... Te habrás casado.

– No me he casado... –respondió el juez con la voz un poco turbada–. ¡No me he casado, ni me casaré nunca!...

– Que no te has casado, lo creo, supuesto que no me lo has escrito... ¡Y la cosa valía la pena de ser contada! Pero eso de que no te casarás nunca, no me parece tan fácil ni tan creíble.

---

14 *juez de palo*: juez torpe o ignorante.

    – ¡Pues te lo juro! –replicó Zarco solemnemente.

    – ¡Qué rara metamorfosis[15]! –repuse yo–. Tú, tan parti-
dario siempre del séptimo sacramento; tú, que hace dos años
me escribías aconsejándome que me casara, ¡salir ahora con
esa novedad!... Amigo mío, ¡a ti te ha sucedido algo, y algo
muy penoso!

    – ¿A mí? –dijo Zarco estremeciéndose.

    – ¡A ti! –proseguí yo–. ¡Y vas a contármelo! Tú vives aquí
solo, encerrado en la grave circunspección[16] que exige tu
destino, sin un amigo a quien referir tus debilidades de
mortal... Pues bien; cuéntamelo todo, y veamos si puedo
servirte de algo.

    El Juez me estrechó las manos diciendo:

    – Sí..., sí... ¡Lo sabrás todo, amigo mío! ¡Soy muy des-
venturado!

    Luego se serenó un poco, y añadió secamente:

    – Vístete. Hoy va todo el pueblo a visitar el cementerio
y parecería mal que yo faltase. Vendrás conmigo. La tarde
está buena y te conviene andar a pie para descansar del
trote del rocín. El cementerio se halla situado en medio de
un hermoso campo, y no te disgustará el paseo. Por el camino
te contaré la historia que ha acibarado[17] mi existencia, y
verás si tengo o no tengo motivos para renegar de las mujeres.

    Una hora después caminábamos Zarco y yo en dirección
al cementerio.

    Mi pobre amigo me habló de esta manera:

V

MEMORIAS DE UN JUEZ DE PRIMERA INSTANCIA

I

    Hace dos años que, estando de Promotor Fiscal[18] en ......,
obtuve licencia para pasar un mes en Sevilla.

---

15 *metamorfosis*: transformación.
16 *circunspección*: seriedad, prudencia.
17 *acibarado*: amargado.
18 *Promotor Fiscal*: fiscal, encargado de acusar a los delincuentes.

En la fonda en que me hospedé vivía hacía algunas semanas cierta elegante y hermosísima joven, que pasaba por
viuda, cuya procedencia, así como el objeto que la retenía
en Sevilla, eran un misterio para los demás huéspedes.

Su soledad, su lujo, su falta de relaciones y el aire de
tristeza que la envolvía, daban pie a mil conjeturas; todo lo
cual, unido a su incomparable belleza y a la inspiración y
gusto con que tocaba el piano y cantaba, no tardó en despertar en mi alma una invencible inclinación hacia aquella
mujer.

Sus habitaciones estaban exactamente encima de las
mías; de modo que la oía cantar y tocar, ir y venir, y hasta
conocía cuándo se acostaba, cuándo se levantaba y cuándo
pasaba la noche en vela —cosa muy frecuente—. Aunque en
lugar de comer en la mesa redonda se hacía servir en su
cuarto, y no iba nunca al teatro, tuve ocasión de saludarla
varias veces, ora en la escalera, ora en alguna tienda, ora
de balcón a balcón, y al poco tiempo los dos estábamos seguros del placer con que nos veíamos.

Tú lo sabes. Yo era grave, aunque no triste, y esta circunspección mía cuadraba perfectamente a la retraída existencia de aquella mujer; pues ni nunca le dirigí la palabra,
ni procuré visitarla en su cuarto, ni la perseguí con enojosa
curiosidad como otros habitantes de la fonda.

Este respeto a su melancolía debió de halagar su orgullo
de paciente; dígolo, porque no tardó en mirarme con cierta
deferencia, cual si ya nos hubiésemos revelado el uno al
otro.

Quince días habían transcurrido de esta manera, cuando
la fatalidad..., nada más que la fatalidad..., me introdujo una
noche en el cuarto de la desconocida.

Como nuestras habitaciones ocupaban idéntica situación
en el edificio, salvo el estar en pisos diferentes, eran sus
entradas iguales. Dicha noche, pues, al volver al teatro, subí
distraído más escaleras de las que debía, y abrí la puerta
de su cuarto creyendo que era la del mío.

La hermosa estaba leyendo, y se sobresaltó al verme. Yo
me aturdí de tal modo, que apenas pude disculparme, pero
mi misma turbación y la prisa con que intenté irme, la con

vencieron de que aquella equivocación no era una farsa. Retúvome, pues, con exquisita amabilidad «para demostrarme», dijo, «que creía en mi buena fe y que no estaba incomodada conmigo», acabando por suplicarme que me equivocara otra vez deliberadamente, pues no podía tolerar que una persona de mis condiciones de carácter pasase las noches en el balcón oyéndola cantar –«como ella me había visto»–, cuando «su pobre habilidad se honraría con que yo le prestase atención más de cerca.»

A pesar de todo creí de mi deber no tomar asiento en aquella noche, y salí.

Pasaron tres días, durante los cuales tampoco me atrevía a aprovechar el amable ofrecimiento de la bella cantora, aun a riesgo de pasar por descortés a sus ojos. ¡Y era que estaba perdidamente enamorado de ella; era que conocía que en unos amores con aquella mujer no podía haber término medio, sino delirio de dolor o delirio de ventura; era que le temía, en fin, a la atmósfera de tristeza que la rodeaba!

Sin embargo, después de aquellos tres días, subí al piso segundo.

Permanecí allí toda la velada: la joven me dijo llamarse Blanca y ser madrileña y viuda: tocó el piano, cantó, hízome mil preguntas acerca de mi persona, profesión, estado, familia, etc., y todas sus palabras y observaciones me complacieron y enajenaron... Mi alma fue desde aquella noche esclava de la suya.

A la noche siguiente volví, y a la otra noche también, y después todas las noches y todos los días.

Nos amábamos, y ni una palabra de amor nos habíamos dicho.

Pero, hablando del amor habíale yo encarecido varias veces la importancia que daba a este sentimiento, la vehemencia[19] de mis ideas y pasiones, y todo lo que necesitaba mi corazón para ser feliz.

Ella, por su parte, me había manifestado que pensaba del mismo modo.

---

19 *vehemencia*: ímpetu, pasión.

– Yo –dijo una noche– me casé sin amor a mi marido. Poco tiempo después... lo odiaba. Hoy ha muerto. ¡Sólo Dios sabe cuánto he sufrido! Yo comprendo el amor de esta suerte: es la gloria o es el infierno. Y para mí, hasta ahora, ¡siempre ha sido el infierno!

Aquella noche no dormí.

La pasé analizando las últimas palabras de Blanca.

¡Qué superstición la mía! Aquella mujer me daba miedo. ¿Llegaríamos a ser, yo su *gloria* y ella mi *infierno*?

Entre tanto, expiraba el mes de licencia.

Podía pedir otro pretextando una enfermedad... Pero, ¿debía hacerlo?

Consulté con Blanca.

– ¿Por qué me lo pregunta usted a mí? –repuso ella, cogiéndome una mano.

– Más claro, Blanca... –respondí–. Yo la amo a usted... ¿Hago mal en amarla?

– ¡No! –respondió Blanca palideciendo.

Y sus ojos negros dejaron escapar dos torrentes de luz y de voluptuosidad[20]...

II

Pedí, pues, dos meses de licencia, y me los concedieron... gracias a ti. ¡Nunca me hubieras hecho aquel favor!

Mis relaciones con Blanca no fueron amor: fueron delirio, locura, fanatismo.

Lejos de atemperarse mi frenesí con la posesión de aquella mujer extraordinaria, se exacerbó más y más: cada día que pasaba, descubría nuevas afinidades entre nosotros, nuevos tesoros de ventura, nuevos manantiales de felicidad...

Pero en mi alma, como en la suya, brotaban al propio tiempo misteriosos temores.

¡Temíamos perdernos!... Ésta era la fórmula de nuestra inquietud.

---

20 *voluptuosidad*: sensualidad, atracción física.

Los amores vulgares necesitan el miedo para alimentarse, para no decaer. Por eso se ha dicho que toda relación ilegítima es más vehemente que el matrimonio. Pero un amor como el nuestro hallaba recónditos pesares en su precario porvenir, en su inestabilidad, en su carencia de lazos indisolubles...

Blanca me decía:

– Nunca esperé ser amada por un hombre como tú; y, después de ti, no veo amor ni dicha posibles para mi corazón. Joaquín, un amor como el tuyo era la necesidad de mi vida: moría ya sin él; sin él moriría mañana. Dime que nunca me olvidarás.

– ¡Casémonos, Blanca! –respondía yo.

Y Blanca inclinaba la cabeza con angustia.

– ¡Sí, casémonos! –volvía yo a decir, sin comprender aquella muda desesperación.

– ¡Cuánto me amas! –replicaba ella–. Otro hombre en tu lugar rechazaría esa idea, si yo se la propusiese. Tú, por el contrario...

– Yo, Blanca, estoy orgulloso de ti; quiero ostentarte a los ojos del mundo, quiero perder toda zozobra acerca del tiempo que vendrá: quiero saber que eres mía para siempre. Además, tú conoces mi carácter, sabes que nunca transijo en materias de honra... Pues bien: la sociedad en que vivimos llama crimen a nuestra dicha... ¿Por qué no hemos de rendirnos al pie del altar? ¡Te quiero pura, te quiero noble, te quiero santa! ¡Te amaré entonces más que hoy!... ¡Acepta mi mano!

– ¡No puedo! –respondía aquella mujer incomprensible.

Y este debate se reprodujo mil veces.

Un día que yo peroré largo rato contra el adulterio y contra toda inmoralidad, Blanca se conmovió extraordinariamente; lloró, me dio las gracias y repitió lo de costumbre:

– ¡Cuánto me amas! ¡Qué bueno, qué grande, qué noble eres!

A todo esto expiraba la prórroga de mi licencia.

Érame necesario volver a mi destino, y así se lo anuncié a Blanca.

– ¡Separarnos! –gritó con infinita angustia.

– ¡Tú lo has querido! –contesté.

– ¡Eso es imposible!... Yo te idolatro, Joaquín.

– Blanca, yo te adoro.

– Abandona tu carrera... Yo soy rica... ¡Viviremos juntos! –exclamó, tapándome la boca para que no replicara.

Le besé la mano, y respondí:

– De mi esposa aceptaría esa oferta, haciendo todavía un sacrificio... Pero de ti...

– ¡De mí! –respondió llorando–. ¡De la madre de tu hijo!

– ¿Quién? ¡Tú! ¡Blanca!...

– Sí..., Dios acaba de decirme que soy madre... ¡Madre por primera vez! ¡Tú has completado mi vida, Joaquín; y no bien gusto la fruición[21] de esta bienaventuranza absoluta, quieres desgajar el árbol de mi dicha! ¡Me das un hijo y me abandonas tú...!

– ¡Sé mi esposa, Blanca! –fue mi única contestación–. Labremos la felicidad de ese ángel que llama a las puertas de la vida.

Blanca permaneció mucho tiempo silenciosa.

Luego levantó la cabeza con una tranquilidad indefinible, y murmuró:

– Seré tu esposa.

– ¡Gracias! ¡Gracias, Blanca mía!

– Escucha –dijo al poco rato–: no quiero que abandones tu carrera...

– ¡Ah! ¡Mujer sublime!

– Vete a tu Juzgado... ¿Cuánto tiempo tardarás en arreglar allí tus asuntos, solicitar del Gobierno más licencia y volver a Sevilla?

– Un mes.

– Un mes... –repuso Blanca–. ¡Bien! Aquí te espero. Vuelve dentro de un mes y seré tu esposa. Hoy somos quince de abril... ¡El quince de mayo, sin falta!

– ¡Sin falta!

– ¿Me lo juras?

– Te lo juro.

---

21 *fruición*: placer.

– ¡Aún otra vez! –replicó Blanca.
– Te lo juro.
– ¿Me amas?
– Con toda mi vida.
– Pues vete, y ¡vuelve! Adiós...

Dijo, y me suplicó que la dejara y que partiera sin perder momento.

Despedíme de ella y partí a ...... aquel mismo día.

III

Llegué a ......

Preparé mi casa para recibir a mi esposa; solicité y obtuve, como sabes, otro mes de licencia, y arreglé todos mis asuntos con tal eficacia, que, al cabo de quince días, me vi en libertad de volver a Sevilla.

Debo advertirte que durante aquel medio mes no recibí ni una sola carta de Blanca, a pesar de haberle yo escrito seis. Esta circunstancia me tenía vivamente contrariado. Así fue que, aunque sólo había transcurrido la mitad del plazo que mi amada me concediera, salí para Sevilla, adonde llegué el día 30 de abril.

Inmediatamente me dirigí a la fonda que había sido nido de nuestros amores.

Blanca había desaparecido dos días después de mi partida, sin dejar razón del punto a que se encaminaba.

¡Imagínate el dolor de mi desengaño! ¡No escribirme que se marchaba! ¡Marcharse sin dejar dicho adónde se dirigía! ¡Hacerme perder completamente su rastro! ¡Evadirse, en fin, como una criminal cuyo delito se ha descubierto!

Ni por un instante se me ocurrió permanecer en Sevilla hasta el 15 de mayo aguardando a ver si regresaba Blanca... La violencia de mi dolor y de mi indignación, y el bochorno que sentía por haber aspirado a la mano de semejante aventurera, no dejaban lugar a ninguna esperanza, a ninguna ilusión, a ningún consuelo. Lo contrario hubiera sido ofender mi propia conciencia, que ya veía en Blanca el ser odioso y repugnante que el amor o el deseo había disfrazado hasta entonces... ¡Indudablemente era una mujer liviana e hipócrita, que me amó sensualmente, pero que, previendo la habitual mudanza de su caprichoso corazón, no pensó nunca en que nos casáramos! Hostigada, al fin, por mi amor y mi honradez, había ejecutado una torpe comedia, a fin de escaparse impunemente. ¡Y en cuanto a aquel hijo anunciado con tanto júbilo, tampoco me cabía ya duda de que era otra ficción, otro engaño, otra sangrienta burla!... ¡Apenas se comprendía semejante perversidad en una criatura tan bella y tan inteligente!

Tres días nada más estuve en Sevilla, y el 4 de mayo me marché a la Corte renunciando a mi destino, para ver si mi familia y el bullicio del mundo me hacían olvidar a aquella mujer, que sucesivamente había sido para mí la *gloria* y el *infierno*.

Por último, hace cosa de quince meses que tuve que aceptar el Juzgado de este otro pueblo, donde, como has visto, no vivo muy contento que digamos, siendo lo peor de todo que, en medio de mi aborrecimiento a Blanca, detesto mucho más a las demás mujeres... por la sencilla razón de que no son ella...

¿Te convences ahora de que nunca llegaré a casarme?

VI

EL CUERPO DEL DELITO

Pocos segundos después de terminar mi amigo Zarco la relación de sus amores, llegamos al cementerio.

El cementerio de ...... no es otra cosa que un campo yermo y solitario, sembrado de cruces de madera y rodeado por una tapia. Ni lápidas ni sepulcros turban la monotonía de aquella mansión. Allí descansan, en la fría tierra, pobres y ricos, grandes y plebeyos, nivelados por la muerte.

En estos pobres cementerios, que tanto abundan en España y que son acaso los más poéticos y los más propios de sus moradores, sucede con frecuencia que, para sepultar un cuerpo, es menester exhumar[22] otro, o mejor dicho, que cada

---

22 *exhumar*: sacar un cadáver de la sepultura.

dos años se echa una nueva capa de muertos sobre la tierra. Consiste esto en la pequeñez del recinto, y da por resultado que, alrededor de cada nueva zanja, hay mil blancos despojos que de tiempo en tiempo son conducidos al osario común.

Yo he visto más de una vez estos osarios... ¡Y en verdad que merecen ser vistos! Figuraos, en un rincón del campo santo, una especie de pirámide de huesos, una colina de multiforme marfil, un cerro de cráneos, fémures, canillas, húmeros, clavículas rotas, columnas espinales desgranadas, dientes sembrados acá y allá, costillas que fueron armadura de corazones, dedos diseminados..., y todo ello seco, frío, muerto, árido... ¡Figuraos, figuraos aquel horror!

¡Y qué contactos! Los enemigos, los rivales, los esposos, los padres y sus hijos, están allí, no sólo juntos, sino revueltos, mezclados por pedazos, como trillada mies, como rota paja... ¡Y qué desapacible ruido cuando un cráneo choca con otro, o cuando baja rodando desde la cumbre por aquellas huecas astillas de antiguos hombres! ¡Y qué risa tan insultante tienen las calaveras!

Pero volvamos a nuestra historia.

Andábamos Joaquín y yo dando sacrílegamente con el pie a tantos restos inanimados, ora pensando en el día que otros pies hollarían nuestros despojos, ora atribuyendo a cada hueso una historia; procurando hallar el secreto de la vida en aquellos cráneos donde acaso moró el genio o bramó la pasión, y ya vacíos como celda de difunto fraile, o adivinando otras veces (por la configuración, por la dureza y por la dentadura) si tal calavera perteneció a una mujer, a un niño o a un anciano, cuando las miradas del Juez quedaron fijas en uno de aquellos globos de marfil...

– ¿Qué es esto? –exclamó, retrocediendo un poco–. ¿Qué es esto, amigo mío? ¿No es un clavo?

Y así hablando daba vueltas con el bastón a un cráneo, bastante fresco todavía, que conservaba algunos espesos mechones de pelo negro.

Miré y quedé tan asombrado como mi amigo... ¡Aquella calavera estaba atravesada por un clavo de hierro!

La chata cabeza de este clavo asomaba por la parte su-

perior del hueso coronal, mientras que la punta salía por el que fue cielo de la boca.

¿Qué podía significar aquello?

De la extrañeza pasamos a las conjeturas, ¡y de las conjeturas al horror!...

— ¡Reconozco la Providencia! —exclamó finalmente Zarco—. ¡He aquí un espantoso crimen que iba a quedar impune y que se delata por sí mismo a la justicia! ¡Cumpliré con mi deber, tanto más, cuanto que parece que el mismo Dios me lo ordena directamente al poner ante mis ojos la taladrada cabeza de la víctima! ¡Ah! Sí... ¡Juro no descansar hasta que el autor de este horrible delito expíe su maldad en el cadalso!

VII

PRIMERAS DILIGENCIAS

Mi amigo Zarco era un modelo de jueces.

Recto, infatigable aficionado, tanto como obligado, a la administración de justicia, vio en aquel asunto un campo vastísimo en que emplear toda su inteligencia, todo su celo, todo su fanatismo (perdonad la palabra) por el cumplimiento de la ley.

Inmediatamente hizo buscar a un escribano, y dio principio al proceso.

Después de extendido testimonio de aquel hallazgo, llamó al enterrador.

El lúgubre personaje se presentó ante la ley pálido y tembloroso. ¡A la verdad, entre aquellos dos hombres, cualquier escena tenía que ser horrible! Recuerdo literalmente su diálogo:

EL JUEZ.– ¿De quién puede ser esta calavera?

EL SEPULTURERO.– ¿Dónde la ha encontrado vuestra señoría?

EL JUEZ.– En este mismo sitio.

EL SEPULTURERO.–Pues entonces pertenece a un cadáver que, por estar ya algo pasado, desenterré ayer para sepultar a una vieja que murió anteanoche.

EL JUEZ.– ¿Y por qué exhumó usted ese cadáver y no otro más antiguo?

EL SEPULTURERO.– Ya lo he dicho a vuestra señoría: para poner a la vieja en su lugar. ¡El Ayuntamiento no quiere convencerse de que este cementerio es muy chico para tanta gente como se muere ahora! ¡Así es que no se deja a los muertos secarse en la tierra, y tengo que trasladarlos medio vivos al osario común!

EL JUEZ.– ¿Y podrá saberse de quién es el cadáver a que corresponde esta cabeza?

EL SEPULTURERO.– No es muy fácil, señor.

EL JUEZ.– Sin embargo, ¡ello ha de ser! Conque piénselo usted despacio.

EL SEPULTURERO.– Encuentro un medio de saberlo.

EL JUEZ.– Dígalo usted.

EL SEPULTURERO.– La caja de aquel muerto se hallaba en regular estado cuando la saqué de la tierra, y me la llevé a mi habitación para aprovechar las tablas de la tapa. Acaso conserven alguna señal, como iniciales, galones o cualquier otra de esas cosas que se estilan ahora para adornar los ataúdes...

EL JUEZ.– Veamos esas tablas.

En tanto que el sepulturero traía los fragmentos del

ataúd, Zarco mandó a un alguacil que envolviese el misterioso cráneo en un pañuelo, a fin de llevárselo a su casa.

El enterrador llegó con las tablas.

Como esperábamos, encontráronse en una de ellas algunos jirones de galón dorado, que, sujetos a la madera con tachuelas de metal, habrían formado letras y números...

Pero el galón estaba roto, y era imposible restablecer aquellos caracteres.

No desmayó, con todo, mi amigo, sino que hizo arrancar completamente el galón, y por las tachuelas, o por las punturas de otras que había habido en la tabla, recompuso las siguientes cifras:

A. G. R.

1843

R. I. P.

Zarco radió en entusiasmo al hacer este descubrimiento.

– ¡Es bastante! ¡Es demasiado! –exclamó gozosamente–. ¡Asido de esta hebra, recorreré el laberinto[6] y lo descubriré todo!

Cargó el alguacil con la tabla, como había cargado con la calavera, y regresamos a la población.

Sin descansar un momento, nos dirigimos a la parroquia más próxima.

Zarco pidió al cura el libro de sepelios[23] de 1843.

Recorriólo el escribano hoja por hoja, partida por partida...

Aquellas iniciales A. G. R. no correspondían a ningún difunto.

Pasamos a otra parroquia.

Cinco tiene la villa: a la cuarta que visitamos, halló el escribano esta partida de sepelio:

---

23 *sepelios*: entierros.

6 Alude al mito de Ariadna, que dio a Teseo un ovillo de hilo para señalar su recorrido por el laberinto del Minotauro, de modo que pudiera regresar sin perderse.

En la iglesia parroquial de San ......, de la villa de ......, a 4 de mayo de 1843, se hicieron los oficios de funeral, conforme a entierro mayor, y se dio sepultura en el cementerio común a D. ALFONSO GUTIÉRREZ DEL ROMERAL, natural y vecino que fue de esta población, el cual no recibió los Santos Sacramentos ni testó, por haberse muerto de apoplejía[24] fulminante, en la noche anterior, a la edad de treinta y un años. Estuvo casado con doña Gabriela Zahara del Valle, natural de Madrid, y no deja hijos. Y para que conste, etc...

Tomó Zarco un certificado de esta partida, autorizado por el cura, y regresamos a nuestra casa.

Por el camino me dijo el Juez:

– Todo lo veo claro. Antes de ocho días habrá terminado este proceso que tan oscuro se presentaba hace dos horas. Ahí llevamos una apoplejía fulminante de hierro, que tiene cabeza y punta, y que dio muerte repentina a un don Alfonso Gutiérrez del Romeral. Es decir: tenemos el *clavo*... Ahora sólo me falta encontrar el *martillo*.

VIII

DECLARACIONES

Un vecino dijo:

Que don Alfonso Gutiérrez del Romeral, joven y rico propietario de aquella población, residió algunos años en Madrid, de donde volvió en 1840 casado con una bellísima señora llamada doña Gabriela Zahara:

Que el declarante había ido algunas noches de tertulia a casa de los recién casados, y tuvo ocasión de observar la paz y ventura que reinaban en el matrimonio:

Que cuatro meses antes de la muerte de don Alfonso había marchado su esposa a pasar una temporada en Madrid con su familia, según explicación del mismo marido:

---

24 *apoplejía*: hemorragia cerebral.

Que la joven regresó en los últimos días de abril, o sea tres meses y medio después de su partida:

Que a los ocho días de su llegada ocurrió la muerte de don Alfonso:

Que habiendo enfermado la viuda a consecuencia del sentimiento que le causó esta pérdida, manifestó a sus amigos que le era insoportable vivir en un pueblo donde todo le hablaba de su querido y malogrado esposo, y se marchó para siempre a mediados de mayo, diez o doce días después de la muerte de su esposo:

Que era cuanto podía declarar, y la verdad, a cargo del juramento que había prestado, etc.

Otros vecinos prestaron declaraciones casi idénticas a la anterior.

Los criados del difunto Gutiérrez dijeron:

Después de repetir los datos de la vecindad:

Que la paz del matrimonio no era tanta como se decía de público:

Que la separación de tres meses y medio que precedió a los últimos ocho días que vivieron juntos los esposos, fue un tácito[25] rompimiento, consecuencia de profundos y misteriosos disgustos que mediaban entre ambos jóvenes desde el principio de su matrimonio:

Que la noche en que murió su amo se reunieron los esposos en la alcoba nupcial, como lo verificaban desde la vuelta de la señora, contra su antigua costumbre de dormir cada uno en su respectivo cuarto:

Que a media noche los criados oyeron sonar violentamente la campanilla, a cuyo repiqueteo se unían los desaforados gritos de la señora:

Que acudieron, y vieron salir a ésta de la cámara nupcial, con el cabello en desorden, pálida y convulsa, gritando entre amarguísimos sollozos:

– ¡Una apoplejía! ¡Un médico! ¡Alfonso mío! ¡El señor se muere...!

---

25 *tácito*: implícito, no manifestado.

Que penetraron en la alcoba, y vieron a su amo tendido sobre el lecho y ya cadáver; y que habiendo acudido un médico, confirmó que don Alfonso había muerto de una congestión cerebral.

El médico: Preguntado al tenor de la cita que precede, dijo: Que era cierta en todas sus partes.

El mismo médico y otros dos facultativos:

Habiéndoseles puesto de manifiesto la calavera de don Alfonso, y preguntados sobre si la muerte recibida de aquel modo podía aparecer a los ojos de la ciencia como apoplejía, dijeron que *sí*.

Entonces dictó mi amigo el siguiente auto[26]:

«Considerando que la muerte de don Alfonso Gutiérrez del Romeral debió ser instantánea y subsiguiente a la introducción del clavo en su cabeza:

»Considerando que, cuando murió, estaba solo con su esposa en la alcoba nupcial:

»Considerando que es imposible atribuir a suicidio una muerte semejante, por las dificultades materiales que ofrece su perpetración con mano propia:

»Se declara reo de esta causa, y autora de la muerte de don Alfonso, a su esposa doña Gabriela Zahara del Valle, para cuya captura se expedirán los oportunos exhortos[27], etc., etc.»

— Dime, Joaquín... —pregunté yo al Juez—, ¿crees que se capturará a Gabriela Zahara?

— ¡Indudablemente!

— ¿Y por qué lo aseguras?

— Porque, en medio de estas rutinas judiciales, hay cierta fatalidad dramática que no perdona nunca. Más claro: cuando los huesos salen de la tumba a declarar, poco les queda que hacer a los Tribunales.

---

26 *auto*: resolución judicial.
27 *exhortos*: peticiones de un juez a otro para que cumpla algo.

IX

EL HOMBRE PROPONE...

A pesar de las esperanzas de mi amigo Zarco, Gabriela Zahara no pareció. Exhortos, requisitorias[28]: todo fue inútil.
Pasaron tres meses.
La causa se sentenció en rebeldía[29].
Yo abandoné la villa de ......, no sin prometerle a Zarco volver al año siguiente.

X

UN DÚO EN "MI" MAYOR

Aquel invierno lo pasé en Granada.
Érase una noche en que había gran baile en casa de la riquísima señora de X..., la cual había tenido la bondad de convidarme a la fiesta.
A poco de llegar a aquella magnífica morada, donde estaban reunidas todas las célebres hermosuras de la aristocracia granadina, reparé en una bellísima mujer, cuyo rostro habría distinguido entre mil otros semejantes, suponiendo que Dios hubiese formado alguno que se le pareciera.
¡Era mi desconocida, mi mujer misteriosa, mi desengañada de la diligencia, mi compañera de viaje, el número 1, de que os hablé al principio de esta relación!
Corrí a saludarla, y ella me reconoció en el acto.
– Señora –le dije–, he cumplido a usted mi promesa de no buscarla. Hasta ignoraba que podía encontrar a usted aquí. A saberlo, acaso no hubiera venido, por temor de ser a usted enojoso. Una vez ya delante de usted, espero que me diga si puedo reconocerla, si me es dado hablarle, si ha cesado el entredicho[30] que me alejaba de usted.

---

28 *requisitorias*: exhortos.
29 *en rebeldía*: fórmula que se utiliza cuando el acusado no se ha presentado a juicio.
30 *entredicho*: prohibición.

– Veo que es usted vengativo... –me contestó graciosamente, alargándome la mano–. Pero yo le perdono. ¿Cómo está usted?

– ¡En verdad que lo ignoro! –respondí–. Mi salud, la salud de mi alma –pues no otra cosa me preguntará usted en medio de un baile– depende de la salud de su alma de usted. Esto quiere decir que mi dicha no puede ser sino un reflejo de la suya. ¿Ha sanado ese pobre corazón?

– Aunque la galantería le prescriba[31] a usted desearlo –contestó la dama–, y mi aparente jovialidad haga suponerlo, usted sabe..., lo mismo que yo, que las heridas del corazón no se curan.

– Pero se tratan, señora, como dicen los facultativos; se hacen llevaderas; se tiende una piel rosada sobre la roja cicatriz; se edifica una ilusión sobre un desengaño...

– Pero esa edificación es falsa...

– ¡Como la primera, señora; como todas! «Querer creer, querer gozar...», he aquí la dicha. Mirabeau[7], moribundo, no aceptó el generoso ofrecimiento de un joven que quiso transfundir toda su sangre en las empobrecidas arterias del grande hombre... ¡No sea usted como Mirabeau! ¡Beba usted nueva vida en el primer corazón virgen que le ofrezca su rica savia! Y pues no gusta usted de galanterías, le añadiré, en abono de mi consejo, que, al hablar así, no defiendo sus intereses...

– ¿Por qué dice usted eso último?

– Porque yo también tengo algo de Mirabeau; no en la cabeza, sino en la sangre. Necesito lo que usted... ¡Una primavera que me vivifique!

– ¡Somos muy desdichados! En fin..., usted tendrá la bondad de no huir de mí en adelante...

– Señora, iba a pedirle a usted permiso para visitarla. Nos despedimos.

– ¿Quién es esta mujer? –pregunté a un amigo mío.

– Una americana que se llama Mercedes de Mérida-

---

31 *prescriba*: ordene.

7 Destacado líder de la Revolución Francesa, famoso por su elocuencia.

nueva –me contestó–. Es todo lo que sé, y mucho más de lo que se sabe generalmente.

XI

FATALIDAD

Al día siguiente fui a visitar a mi nueva amiga a la *Fonda de los Siete Suelos* de la Alhambra.

La encantadora Mercedes me trató como a un amigo íntimo, y me invitó a pasear con ella por aquel edén de la Naturaleza y templo del arte, y a acompañarla luego a comer.

De muchas cosas hablamos durante las seis horas que estuvimos juntos; y, como el tema a que siempre volvíamos era el de los desengaños amorosos, hube de contarle la historia de los amores de mi amigo Zarco.

Ella la oyó muy atentamente, y, cuando terminé, se echó a reír, y me dijo:

— Señor don Felipe, sírvale a usted eso de lección para no enamorarse nunca de mujeres a quienes no conozca...

— No vaya usted a creer –respondí con viveza– que he inventado esa historia, o se la he referido, porque me figure que todas las damas misteriosas que se encuentra uno en viaje son como la que engañó a mi condiscípulo...

— Muchas gracias... Pero no siga usted –replicó, levantándose de pronto–. ¿Quién duda de que en la *Fonda de los Siete Suelos* de Granada pueden alojarse mujeres que en nada se parezcan a esa que tan fácilmente se enamoró de su amigo de usted en la fonda de Sevilla? En cuanto a mí, no hay riesgo de que me enamore de nadie, puesto que nunca hablo tres veces con un mismo hombre...

— ¡Señora! ¡Eso es decirme que no vuelva!...

— No: esto es anunciar a usted que mañana, al ser de día, me marcharé de Granada, y que probablemente no volveremos a vernos nunca.

— ¡*Nunca*! Lo mismo que me dijo usted en Málaga, después de nuestro famoso viaje...; y, sin embargo, nos hemos visto de nuevo...

— En fin: dejemos libre el campo a la fatalidad. Por mi parte, repito que ésta es nuestra despedida... eterna...

Dichas tan solemnes palabras, Mercedes me alargó la mano y me hizo un profundo saludo.

Yo me alejé vivamente conmovido, no sólo por las frías y desdeñosas frases con que aquella mujer había vuelto a descartarme de su vida (como cuando nos separamos en Málaga), sino ante el incurable dolor que vi pintarse en su rostro, mientras que procuraba sonreírse, al decirme adiós por última vez...

¡Por última vez!... ¡Ay! ¡Ojalá hubiera sido la última!

Pero la fatalidad lo tenía dispuesto de otro modo.

XII

TRAVESURAS DEL DESTINO

Pocos días después llamáronme de nuevo mis asuntos al lado de Joaquín Zarco.

Llegué a la villa de ......

Mi amigo seguía triste y solo, y se alegró mucho de verme.

Nada había vuelto a saber de Blanca; pero tampoco había podido olvidarla ni siquiera un momento...

Indudablemente, aquella mujer era su predestinación... ¡Su *gloria* o su *infierno*, como el desgraciado solía decir!

Pronto veremos que no se equivocaba en este supersticioso juicio.

La noche del mismo día de mi llegada estábamos en su despacho leyendo las últimas diligencias practicadas para la captura de Gabriela Zahara del Valle, todas ellas inútiles por cierto, cuando entró un alguacil y entregó al joven Juez un billete[32] que decía de este modo: «En la *Fonda del León* hay una señora que desea hablar con el señor Zarco.»

— ¿Quién ha traído esto? —preguntó Joaquín.

— Un criado.

— ¿De parte de quién?

---

32 *billete*: carta breve enviada con un mensajero.

– No me ha dicho nombre alguno.

– ¿Y ese criado...?

– Se fue al momento.

Joaquín meditó y dijo luego lúgubremente:

– ¡Una señora! ¡A mí!... ¡No sé por qué me da miedo esta cita!... ¿Qué te parece, Felipe?

– Que tu deber de Juez es asistir a ella. ¡Puede tratarse de Gabriela Zahara!...

– Tienes razón... ¡Iré! –dijo Zarco, pasándose una mano por la frente.

Y cogiendo un par de pistolas, envolvióse en la capa y partió, sin permitir que lo acompañase.

Dos horas después volvió.

Venía agitado, trémulo, balbuciente...

Pronto conocí que una vivísima alegría era la causa de aquella agitación.

Zarco me estrechó convulsivamente entre sus brazos, exclamando a gritos, entrecortados por el júbilo:

– ¡Ah! ¡Si supieras!... ¡Si supieras, amigo mío!

– ¡Nada sé! –respondí–. ¿Qué te ha pasado?

– ¡Ya soy dichoso! ¡Ya soy el más feliz de los hombres!

– Pues ¿qué ocurre?

– La esquela[33] en que me llamaban a la fonda...

– Continúa.

– ¡Era de ella!

– ¿De quién? ¿De Gabriela Zahara?

– ¡Quita de allá, hombre! ¿Quién piensa ahora en desventuras? ¡Era de ella! ¡De la otra!

– Pero, ¿quién es la otra?

– ¿Quién ha de ser? ¡Blanca! ¡Mi amor! ¡Mi vida! ¡La madre de mi hijo!

– ¿Blanca? –repliqué con asombro–. Pues ¿no decías que te había engañado?

– ¡Ah! ¡No! ¡Fue alucinación mía!...

– ¿La que padeces ahora?

– No; la que entonces padecí.

– Explícate.

---

33 *esquela*: billete, carta.

— Escucha: Blanca me adora...

— Adelante. El que tú lo digas no prueba nada.

— Cuando nos separamos Blanca y yo el día quince de abril, quedamos en reunirnos en Sevilla para el quince de mayo. A poco tiempo de mi marcha, recibió ella una carta en que le decían que su presencia era necesaria en Madrid para asuntos de familia; y como podía disponer de un mes hasta mi vuelta, fue a la Corte, y volvió a Sevilla muchos días antes del quince de mayo. Pero yo, más impaciente que ella, acudí a la cita con quince días de anticipación de la fecha estipulada, y no hallando a Blanca en la fonda, me creí engañado..., y no esperé. En fin..., ¡he pasado dos años de tormento por una ligereza mía!

— Pero una carta lo evitaba todo...

— Dice que había olvidado el nombre de aquel pueblo, cuya promotoría[34] sabes que dejé inmediatamente, yéndome a Madrid...

— ¡Ah! ¡Pobre amigo mío! —exclamé—. ¡Veo que quieres convencerte; que te empeñas en consolarte! ¡Más vale así! Conque, veamos: ¿Cuándo te casas? ¡Porque supongo que, una vez deshechas las nieblas de los celos, lucirá radiante el sol del matrimonio!...

— ¡No te rías! —exclamó Zarco—. Tú serás mi padrino.

— Con mucho gusto. ¡Ah! ¿Y el niño? ¿Y vuestro hijo?

— ¡Murió!

— ¡También eso! Pues, señor... —dije aturdidamente—, ¡Dios haga un milagro!

— ¡Cómo!

— Digo... ¡que Dios te haga feliz!

XIII

DIOS DISPONE

Por aquí íbamos en nuestra conversación, cuando oímos fuertes aldabonazos en la puerta de la calle.

---

34 *promotoría*: plaza de fiscal.

Eran las dos de la madrugada.

Joaquín y yo nos estremecimos sin saber por qué...

Abrieron; y a los pocos segundos entró en el despacho un hombre que apenas podía respirar, y que exclamaba entrecortadamente con indescriptible júbilo:

— ¡Albricias! ¡Albricias, compañero! ¡Hemos vencido!

Era el Promotor Fiscal del Juzgado.

— Explíquese usted, compañero... –dijo Zarco, alargándole una silla–. ¿Qué ocurre para que venga usted tan a deshora y tan contento?

— Ocurre... ¡Apenas es importante lo que ocurre!... Ocurre que Gabriela Zahara...

— ¿Cómo?... ¿Qué?... –interrumpimos a un mismo tiempo Zarco y yo.

— ¡Acaba de ser presa!

— ¡Presa! –gritó el Juez lleno de alegría.

— Sí, señor; ¡presa! –repitió el Fiscal–. La Guardia Civil le seguía la pista hace un mes, y, según acaba de decirme el sereno, que suele acompañarme desde el Casino hasta mi casa, ya la tenemos a buen recaudo en la cárcel de esta muy noble villa...

— Pues vamos allá... –replicó el Juez–. Esta misma noche le tomaremos declaración. Hágame usted el favor de avisar al escribano de la causa. Usted mismo presenciará las actuaciones, atendida la gravedad del caso... Diga usted que manden a llamar también al sepulturero, a fin de que presente por sí propio la cabeza de don Alfonso Gutiérrez, la cual obra en poder del alguacil. Hace tiempo que tengo excogitado[35] este horrible careo[36] de los dos esposos, en la seguridad de que la parricida no podrá negar su crimen al ver aquel clavo de hierro que, en la boca de la calavera, parece una lengua acusadora. En cuanto a ti –díjome luego Zarco–, harás el papel de escribiente, para que puedas presenciar, sin quebrantamiento de la ley, escenas tan interesantes...

---

35 *excogitado*: imaginado.
36 *careo*: interrogar juntas a dos o más personas para confrontar lo que dicen y ver cómo reacciona cada una ante lo que dice la otra.

Nada le contesté. Entregado mi infeliz amigo a su alegría de Juez —permítaseme la frase—, no había concebido la horrible sospecha que, sin duda, os agita ya a vosotros...; sospecha que penetró desde luego en mi corazón, taladrándolo con sus uñas de hierro... ¡Gabriela y Blanca, llegadas a aquella villa en una misma noche, podían ser una sola persona!

— Dígame usted —pregunté al Promotor, mientras que Zarco se preparaba para salir—: ¿En dónde estaba Gabriela cuando la prendieron los guardias?

— En la *Fonda del León* —me respondió el Fiscal.

¡Mi angustia no tuvo límites!

Sin embargo, nada podía hacer, nada podía decir, sin comprometer a Zarco, como tampoco debía envenenar el alma de mi amigo comunicándole aquella lúgubre conjetura, que acaso iban a desmentir los hechos. Además, suponiendo que Gabriela y Blanca fueran una misma persona, ¿de qué le valdría al desgraciado el que yo se lo indicase anticipadamente? ¿Qué podía hacer en tan tremendo conflicto? ¿Huir? ¡Yo debía evitarlo, pues era declararse reo! ¿Delegar, fingiendo una indisposición repentina? Equivaldría a desamparar a Blanca, en cuya defensa tanto podría hacer, si su causa le parecía defendible. ¡Mi obligación, por tanto, era guardar silencio y dejar paso a la justicia de Dios!

Tal discurrí por lo menos en aquel súbito lance, cuando no había tiempo ni espacio para soluciones inmediatas... ¡La catástrofe se venía encima con trágica premura!... El Fiscal había dado ya las órdenes de Zarco a los alguaciles, y uno de éstos había ido a la cárcel, a fin de que dispusiesen la sala de la Audiencia para recibir al Juzgado. El comandante de la Guardia Civil entraba en aquel momento a dar parte en persona —como muy satisfecho que estaba del caso— de la prisión de Gabriela Zahara... Y algunos trasnochadores, socios del Casino y amigos del Juez, noticiosos de la ocurrencia, iban acudiendo también allí, como a olfatear y presentir las emociones del terrible día en que dama tan principal y tan bella subiese al cadalso... En fin, no había más remedio que ir hasta el borde del abismo, pidiendo a Dios que Gabriela no fuese Blanca.

Disimulé, pues, mi inquietud y callé mis recelos, y a eso

de las cuatro de la mañana seguí al Juez, al Promotor, al escribano, al comandante de la Guardia Civil y a un pelotón de curiosos y de alguaciles, que se trasladaron a la cárcel regocijadamente.

XIV

EL TRIBUNAL

Allí aguardaba ya el sepulturero.

La sala de la Audiencia estaba profusamente iluminada.

Sobre la mesa veíase una caja de madera pintada de negro, que contenía la calavera de don Alfonso Gutiérrez del Romeral.

El Juez ocupó su sillón; el Promotor se sentó a su derecha, y el comandante de la Guardia, por respetos superiores a las prácticas forenses[37], fue invitado a presenciar también la indagatoria[38], visto el interés que, como a todos, le inspiraba aquel ruidoso proceso. El escribano y yo nos sentamos juntos, a la izquierda del Juez, y el alcaide[39] y los alguaciles se agruparon a la puerta, no sin que se columbrasen[40] detrás de ellos algunos curiosos a quienes su alta categoría pecuniaria[41] había franqueado, para tal solemnidad, la entrada en el temido establecimiento, y que habrían de contentarse con ver a la acusada, por no consentir otra cosa el secreto del sumario[42].

Constituida en esta forma la Audiencia, el Juez tocó la campanilla, y dijo al alcaide:

— Que entre doña Gabriela Zahara.

Yo me sentía morir, y, en vez de mirar a la puerta, miraba a Zarco, para leer en su rostro la solución del pavoroso problema que me agitaba...

---

37 *forenses*: judiciales.
38 *indagatoria*: interrogatorio del acusado.
39 *alcaide*: director de una cárcel.
40 *columbrasen*: entreviesen, divisasen.
41 *pecuniaria*: económica.
42 *sumario*: conjunto de gestiones destinadas a preparar el juicio.

Pronto vi a mi amigo ponerse lívido, llevarse la mano a la garganta como para ahogar un rugido de dolor, y volverse hacia mí en demanda de socorro.

— ¡Calla! —le dije, llevándome el índice a los labios.

Y luego añadí, con la mayor naturalidad, como respondiendo a alguna observación suya:

— Lo sabía...

El desventurado quiso levantarse...

— ¡Señor Juez!... —le dije entonces con tal voz y con tal cara, que comprendió toda la enormidad de sus deberes y de los peligros que corría.

Contrájose, pues, horriblemente, como quien trata de soportar un peso extraordinario y, dominándose al fin por medio de aquel esfuerzo, su cara ostentó la inmovilidad de una piedra. A no ser por la calentura de sus ojos, hubiérase dicho que aquel hombre estaba muerto.

¡Y muerto estaba el hombre! ¡Ya no vivía en él más que el magistrado!

Cuando me hube convencido de ello, miré, como todos, a la acusada.

Figuraos ahora mi sorpresa y mi espanto, casi iguales a los del infortunado Juez... ¡Gabriela Zahara no era sólamente la Blanca de mi amigo, su querida de Sevilla, la mujer con quien acababa de reconciliarse en la *Fonda del León*, sino también mi desconocida de Málaga, mi amiga de Granada, la hermosísima americana Mercedes de Méridanueva!

Todas aquellas fantásticas mujeres se resumían en una sola, en una indudable, en una real y positiva, en una sobre quien pesaba la acusación de haber matado a su marido, en una que estaba condenada a muerte en rebeldía...

Ahora bien: esta acusada, esta sentenciada, ¿sería inocente? ¿Lograría sincerarse? ¿Se vería absuelta?

Tal era mi única y suprema esperanza, tal debía ser también la de mi pobre amigo.

XV

EL JUICIO

> El Juez es una ley que habla y la
> ley un Juez mudo.
>   La ley debe ser como la muerte,
> que no perdona a nadie.
>
> Montesquieu[8]

Gabriela –llamémosla, al fin, por su verdadero nombre– estaba sumamente pálida; pero también muy tranquila. Aquella calma, ¿era señal de su inocencia, o comprobaba la insensibilidad propia de los grandes criminales? ¿Confiaba la viuda de don Alfonso en la fuerza de su derecho, o en la debilidad de su Juez?

Pronto salí de dudas.

La acusada no había mirado hasta entonces más que a Zarco, no sé si para infundirle valor y enseñarle a disimular, si para amenazarle con peligrosas relaciones o si para darle mudo testimonio de que su Blanca no podía haber cometido un asesinato... Pero, observando sin duda la tremenda impasibilidad del Juez, debió de sentir miedo, y miró a los demás concurrentes, cual si buscase en otras simpatías auxilio moral para su buena o su mala causa.

Entonces me vio a mí, y una llamarada de rubor, que pareció de buen agüero, tiñó de escarlata su semblante.

Pero muy luego[43] se repuso, y tornó a su palidez y tranquilidad.

Zarco salió al fin del estupor en que estaba sumido, y, con voz dura y áspera como la vara de la Justicia, preguntó a su antigua amada y prometida esposa:

– ¿Cómo se llama usted?

– Gabriela Zahara del Valle de Gutiérrez del Romeral –contestó la acusada con dulce y reposado acento.

---

43 *muy luego*: enseguida.

8 Escritor francés de la Ilustración, autor de *El espíritu de las leyes* (1748), en que establece los principios de la teoría política moderna.

Zarco tembló ligeramente. ¡Acababa de oír que su Blanca no había existido nunca; y esto se lo decía ella misma! ¡Ella, con quien tres horas antes había concertado de nuevo el antiguo proyecto de matrimonio!

Por fortuna, nadie miraba al Juez, sino que todos tenían fija la vista en Gabriela, cuya singular hermosura y suave y apacible voz considerábanse como indicios de inculpabilidad. ¡Hasta el sencillo traje negro que llevaba parecía declarar en su defensa!

Repuesto Zarco de su turbación, dijo con formidable acento, y como quien juega de una vez todas sus esperanzas:

– Sepulturero: venga usted, y haga su oficio abriendo ese ataúd...

Y le señalaba la caja negra en que estaba encerrado el cráneo de don Alfonso.

– Usted, señora... –continuó, mirando a la acusada con ojos de fuego–, ¡acérquese, y diga si reconoce esa cabeza!

El sepulturero destapó la caja, y se la presentó abierta a la enlutada viuda.

Ésta, que había dado dos pasos adelante, fijó los ojos en el interior del llamado «ataúd», y lo primero que vio fue la cabeza del clavo, destacándose sobre el marfil de la calavera...

Un grito desgarrador, agudo, mortal, como los que arranca el miedo repentino o como los que preceden a la locura, salió de las entrañas de Gabriela, la cual retrocedió espantada, mesándose los cabellos y tartamudeando a media voz:

– ¡Alfonso! ¡Alfonso!

Y luego se quedó como estúpida.

– ¡Ella es! –murmuramos todos, volviéndonos hacia Joaquín.

– ¿Reconoce usted, pues, el clavo que dio muerte a su marido? –añadió el Juez, levantándose con terrible ademán, como si él mismo saliese de la sepultura...

– Sí, señor... –respondió Gabriela maquinalmente, con entonación y gesto propios de la imbecilidad.

– ¿Es decir, que declara usted haberlo asesinado? –preguntó el Juez con tal angustia, que la acusada volvió en sí, estremeciéndose violentamente.

— Señor... —respondió entonces—. ¡No quiero vivir más! Pero, antes de morir, quiero ser oída...

Zarco se dejó caer en el sillón como anonadado, y miróme cual si me preguntara: ¿Qué va a decir?

Yo estaba también lleno de terror.

Gabriela arrojó un profundo suspiro y continuó hablando de este modo:

— Voy a confesar, y en mi propia confesión consistirá mi defensa, bien que no sea bastante a librarme del patíbulo.

Escuchad todos. ¿A qué negar lo evidente? Yo estaba sola con mi marido cuando murió. Los criados y el médico lo habrán declarado así. Por tanto, sólo yo pude darle muerte del modo que ha venido a revelar su cabeza, saliendo para ello de la sepultura... ¡Me declaro, pues, autora de tan horrendo crimen!... Pero sabed que un hombre me obligó a cometerlo.

Zarco tembló al escuchar estas palabras: dominó, sin embargo, su miedo, como había dominado su compasión, y exclamó valerosamente:

— ¡Su nombre, señora! ¡Dígame pronto el nombre de ese desgraciado!

Gabriela miró al Juez con fanática adoración, como una madre a su atribulado hijo, y añadió con melancólico acento:

— ¡Podría, con una sola palabra, arrastrarlo al abismo en que me ha hecho caer! ¡Podría arrastrarlo al cadalso, a fin de que no se quedase en el mundo, para maldecirme tal vez al casarse con otra!... ¡Pero no quiero! ¡Callaré su nombre, porque me ha amado y le amo! ¡Y le amo, aunque sé que no hará nada para impedir mi muerte!

El Juez extendió la mano derecha, cual si fuera a adelantarse...

Ella le reprendió con una mirada cariñosa, como diciéndole: ¡Ve que te pierdes!

Zarco bajó la cabeza.

Gabriela continuó:

— Casada a la fuerza con un hombre a quien aborrecía, con un hombre que se me hizo aún más aborrecible después de ser mi esposo, por su mal corazón y por su vergonzoso estado..., pasé tres años de martirio, sin amor, sin felicidad, pero resignada. Un día que daba vueltas por el purgatorio de mi existencia, buscando, a fuer de inocente, una salida, vi pasar, a través de los hierros que me encarcelaban, a uno de esos ángeles que libertan a las almas ya merecedoras del cielo... Asíme a su túnica, diciéndole: «Dame la felicidad...» Y el ángel me respondió: «¡Tú no puedes ser ya dichosa!» «¿Por qué?». «Porque no lo eres». ¡Es decir, que el infame que hasta entonces me había martirizado, me impedía volar con aquel ángel al cielo del amor y de la ventura! ¿Concebís absurdo mayor que el de este razonamiento de mi destino?

Lo diré más claramente. ¡Había encontrado un hombre digno de mí y de quien yo era digna; nos amábamos, nos adorábamos; pero él, que ignoraba la existencia de mi mal llamado esposo; él, que desde luego pensó en casarse conmigo; él, que no transigía con nada que fuese ilegal o impuro, me amenazaba con abandonarme si no nos casábamos! Érase un hombre excepcional, un dechado de honradez, un carácter severo y nobilísimo, cuya única falta en la vida consistía en haberme querido demasiado... Verdad es que íbamos a tener un hijo ilegítimo; pero también es cierto que ni por un solo instante había dejado de exigirme el cómplice de mi deshonra que nos uniéramos ante Dios... Tengo la seguridad de que si yo le hubiese dicho: «Te he engañado: No soy viuda; mi esposo vive...», se habría alejado de mí, odiándome y maldiciéndome. Inventé mil excusas, mil sofismas, y a todo me respondía: «¡Sé mi esposa!» Yo no *podía* serlo; creyó que no *quería*, y comenzó a odiarme. ¿Qué hacer? Resistí, lloré, supliqué; pero él, aun después de saber que teníamos un hijo, me repitió que no volvería a verme hasta que le otorgase mi mano. Ahora bien: mi mano estaba vinculada a la vida de un hombre ruin, y entre matarlo a él o causar la desventura de mi hijo, la del hombre que adoraba y la mía propia, opté por arrancar su inútil y miserable vida al que era nuestro verdugo. Maté, pues, a mi marido..., creyendo ejecutar un acto de justicia en el criminal que me había engañado infamemente al casarse conmigo, y —¡castigo de Dios!— me abandonó mi amante... Después hemos vuelto a encontrarnos... ¿Para qué, Dios mío? ¡Ah! ¡Que yo muera pronto!... ¡Sí! ¡Que yo muera pronto!

Gabriela calló un momento, ahogada por el llanto.

Zarco había dejado caer la cabeza sobre las manos, cual si meditase; pero yo veía que temblaba como un epiléptico.

— ¡Señor Juez! —repitió Gabriela con renovada energía—: ¡Que yo muera pronto!

Zarco hizo una seña para que se llevasen a la acusada.

Gabriela se alejó con paso firme, no sin dirigirme antes una mirada espantosa, en que había más orgullo que arrepentimiento.

XVI

LA SENTENCIA

Excuso referir la formidable lucha que se entabló en el corazón de Zarco, y que duró hasta el día en que volvió a fallar la causa. No tendría palabras con que haceros comprender aquellos horribles combates... Sólo diré que el magistrado venció al hombre, y que Joaquín Zarco volvió a condenar a muerte a Gabriela Zahara.

Al día siguiente fue remitido el proceso en consulta a la Audiencia de Sevilla, y al propio tiempo Zarco se despidió de mí, diciéndome estas palabras:

– Aguárdame acá hasta que yo vuelva... Cuida de la infeliz, pero no la visites, pues tu presencia la humillaría en vez de consolarla. No me preguntes adónde voy, ni temas que cometa el feo delito de suicidarme. Adiós, y perdóname las aflicciones que te he causado.

. . .   .

Veinte días después, la Audiencia del territorio confirmó la sentencia de muerte.

Gabriela Zahara fue puesta en capilla[44].

XVII

ÚLTIMO VIAJE

Llegó la mañana de la ejecución sin que Zarco hubiese regresado ni se tuvieran noticias de él.

Un inmenso gentío aguardaba a la puerta de la cárcel la salida de la sentenciada.

Yo estaba entre la multitud, pues si bien había acatado la voluntad de mi amigo no visitando a Gabriela en su prisión, creía de mi deber representar a Zarco en aquel supremo trance, acompañando a su antigua amada hasta el pie del cadalso.

---

44 *en capilla*: situación de los condenados a muerte desde que se les comunica la sentencia.

Al verla aparecer, costóme trabajo reconocerla. Había enflaquecido horriblemente, y apenas tenía fuerzas para llevar a sus labios el Crucifijo, que besaba a cada momento.

— Aquí estoy, señora... ¿Puedo servir a usted de algo? —le pregunté cuando pasó cerca de mí.

Clavó en mi faz sus marchitos ojos, y cuando me hubo reconocido, exclamó:

— ¡Oh! ¡Gracias! ¡Gracias! ¡Qué consuelo tan grande me proporciona usted en mi última hora! ¡Padre! —añadió, volviéndose a su confesor—: ¿Puedo hablar al paso algunas palabras con este generoso amigo?

— Sí, hija mía... —le respondió el sacerdote—; pero no deje usted de pensar en Dios...

Gabriela me preguntó entonces:

— ¿Y él?

— Está ausente...

— ¡Hágalo Dios muy feliz! Dígale, cuando lo vea, que me perdone, para que me perdone Dios. Dígale que todavía le amo..., aunque el amarle es causa de mi muerte...

— Quiero ver a usted resignada...

— ¡Lo estoy! ¡Cuánto deseo llegar a la presencia de mi Eterno Padre! ¡Cuántos siglos pienso pasar llorando a sus pies, hasta conseguir que me reconozca como hija suya y me perdone mis muchos pecados!

Llegamos al pie de la escalera fatal...

Allí fue preciso separarnos.

Una lágrima, tal vez la última que aún quedaba en aquel corazón, humedeció los ojos de Gabriela, mientras que sus labios balbucieron esta frase:

— Dígale usted que muero bendiciéndole...

En aquel momento sintióse viva algazara entre el gentío..., hasta que al cabo percibiéronse claramente las voces de:

— ¡Perdón! ¡Perdón!

Y por la ancha calle que abría la muchedumbre viose avanzar a un hombre a caballo, con un papel en una mano y un pañuelo blanco en la otra...

¡Era Zarco!

— ¡Perdón! ¡Perdón! —venía gritando también él.

Echó al fin pie a tierra, y, acompañado del jefe del cuadro, adelantóse hacia el patíbulo.

Gabriela, que ya había subido algunas gradas, se detuvo: miró intensamente a su amante, y murmuró:

— ¡Bendito seas!

En seguida perdió el conocimiento.

Leído el perdón y legalizado el acto, el sacerdote y Joaquín corrieron a desatar las manos de la indultada...

Pero toda piedad era ya inútil... Gabriela Zahara estaba muerta.

XVIII

MORALEJA

Zarco es hoy uno de los mejores magistrados de La Habana. Se ha casado, y puede considerarse feliz; porque la tristeza no es desventura cuando no se ha hecho a sabiendas daño a nadie.

El hijo que acaba de darle su amantísima esposa disipará la vaga nube de melancolía que oscurece a ratos la frente de mi amigo.

La buenaventura

I

No sé qué día de agosto del año 1816 llegó a las puertas de la Capitanía General de Granada cierto desarrapado y grotesco gitano, de sesenta años de edad, de oficio esquilador y de apellido o sobrenombre Heredia, caballero en un flaquísimo y destartalado burro mohíno[1], cuyos arneses[2] se reducían a una soga atada al pescuezo, y, echado que hubo pie a tierra[3], dijo con la mayor frescura que quería ver al Capitán General.

Excusado es decir que semejante pretensión excitó sucesivamente la resistencia del centinela, las risas de los ordenanzas y las dudas y vacilaciones de los edecanes[4], antes de llegar a conocimiento del Excmo. Sr. D. Eugenio Portocarrero, Conde del Montijo, a la sazón Capitán General del antiguo Reino de Granada... Pero como este prócer[5] era hombre de muy buen humor y tenía muchas noticias de Heredia, célebre por sus chistes, por sus cambalaches y por su amor a lo ajeno... con permiso del engañado dueño, dio orden de que dejasen pasar al gitano.

Penetró éste en el despacho de Su Excelencia, dando dos

---

1 *mohíno*: muy negro.
2 *arneses*: conjunto de guarniciones y arreos de una caballería.
3 *echado que hubo pie a tierra*: «una vez que hubo echado pie a tierra». Se trata de una construcción basada en el ablativo absoluto latino, y que actualmente resulta arcaica.
4 *edecanes*: ayudantes.
5 *prócer*: persona distinguida, con un cargo importante.

pasos adelante y uno atrás, que era como andaba en las circunstancias graves, y, poniéndose de rodillas, exclamó:

— ¡Viva María Santísima y viva su merced, que es el amo de toitico el mundo!

— Levántate; déjate de zalamerías y dime qué se te ofrece... —respondió el Conde con aparente sequedad.

Heredia se puso también serio, y dijo con mucho desparpajo:

— Pues, señor, vengo a que se me den los mil reales.

— ¿Qué mil reales?

— Los ofrecidos hace días, en un bando, al que presente las señas de Parrón.

— ¡Pues qué! ¿Tú lo conocías?

— No, señor.

— Entonces...

— Pero ya lo conozco.

— ¡Cómo!

— Es muy sencillo. Lo he buscado; lo he visto; traigo las señas y pido mi ganancia.

— ¿Estás seguro de que lo has visto? —exclamó el Capitán General con un interés que se sobrepuso a sus dudas.

El gitano se echó a reír, y respondió:

— ¡Es claro! Su merced dirá: «Este gitano es como todos y quiere engañarme». ¡No me perdone Dios si miento! Ayer vi a Parrón.

— Pero, ¿sabes tú la importancia de lo que dices? ¿Sabes que hace tres años que se persigue a ese monstruo, a ese bandido sanguinario que nadie conoce ni ha podido nunca ver? ¿Sabes que todos los días roba, en distintos puntos de estas sierras, a algunos pasajeros y después los asesina; pues dice que los muertos no hablan y que ése es el único medio de que nunca dé con él la Justicia? ¿Sabes, en fin, que ver a Parrón es encontrarse con la muerte?

El gitano se volvió a reír, y dijo:

— ¿Y no sabe su merced que lo que no puede hacer un gitano no hay quien lo haga sobre la tierra? ¿Conoce nadie cuándo es verdad nuestra risa o nuestro llanto? ¿Tiene su merced noticia de alguna zorra que sepa tantas picardías como nosotros? Repito, mi general, que no sólo he visto a Parrón, sino que he hablado con él.

— ¿Dónde?

— En el camino de Tózar.

— Dame pruebas de ello.

— Escuche su merced. Ayer mañana hizo ocho días que caímos mi borrico y yo en poder de unos ladrones. Me maniataron muy bien y me llevaron por unos barrancos endemoniados hasta dar con una plazoleta donde acampaban los bandidos. Una cruel sospecha me tenía desazonado. «¿Será ésta gente de Parrón?», me decía a cada instante. ¡Entonces no hay remedio! ¡Me matan! Pues ese maldito se ha empeñado en que ningunos ojos que vean su fisonomía vuelvan a ver cosa ninguna.

Estaba yo haciendo estas reflexiones, cuando se me presentó un hombre vestido de macareno[6] con mucho lujo, y, dándome un golpecito en el hombro y sonriéndome con suma gracia, me dijo:

— Compadre, ¡yo soy Parrón!

Oír esto y caerme de espaldas, todo fue una misma cosa.

El bandido se echó a reír.

Yo me levanté desencajado; me puse de rodillas, y exclamé en todos los tonos de voz que pude inventar:

— ¡Bendita sea tu alma, rey de los hombres!... ¿Quién no había de conocerte por ese porte de príncipe real que Dios te ha dado? ¡Y que haya madre que para tales hijos! ¡Jesús! ¡Deja que te dé un abrazo, hijo mío! ¡Que en mala hora muera si no tenía gana de encontrarte el gitanico para decirte la buenaventura y darte un beso en esa mano de emperador! ¡También yo soy de los tuyos! ¿Quieres que te enseñe a cambiar burros muertos por burros vivos? ¿Quieres vender como potros tus caballos viejos? ¿Quieres que le enseñe el francés a una mula?

El Conde del Montijo no pudo contener la risa... Luego preguntó:

— ¿Y qué respondió Parrón a todo eso? ¿Qué hizo?

— Lo mismo que su merced: reírse a todo trapo.

— ¿Y tú?

---

6 *vestido de macareno*: vestido con el traje castizo, de majo.

– Yo, señorico, me reía también; pero me corrían por las patillas lagrimones como naranjas.

– Continúa.

En seguida me alargó la mano, y me dijo:

– Compadre: es usted el único hombre de talento que ha caído en mi poder. Todos los demás tienen la maldita costumbre de procurar entristecerme, de llorar, de quejarse y de hacer otras tonterías que me ponen de mal humor. Sólo usted me ha hecho reír, y si no fuera por esas lágrimas...

– ¡Qué, señor! ¡Si son de alegría!

– Lo creo. ¡Bien sabe el demonio que es la primera vez que me he reído desde hace seis u ocho años! Verdad es que tampoco he llorado... Pero despachemos. ¡Eh! ¡Muchachos!

Decir Parrón estas palabras y rodearme una nube de trabucos, todo fue un abrir y cerrar de ojos.

– ¡Jesús me ampare! –empecé a gritar.

– ¡Deteneos! –exclamó Parrón–. No se trata de eso *todavía*. Os llamo para preguntaros qué le habéis *tomado* a este hombre.

– Un burro en pelo[7].

– ¿Y dinero?

– Tres duros y siete reales.

– Pues dejadnos solos.

Todos se alejaron.

– Ahora dime la buenaventura –exclamó el ladrón, tendiéndome la mano.

Yo se la cogí; medité un momento; conocí que estaba en el caso de hablar formalmente, y le dije con todas las veras de mi alma:

– Parrón, tarde que temprano, ya me quites la vida, ya me la dejes..., ¡morirás ahorcado!

– Eso ya lo sabía yo... –respondió el bandido con entera tranquilidad–. Dime cuándo.

Me puse a cavilar.

«Este hombre», pensé, «me va a perdonar la vida; mañana llego a Granada y doy el cante; pasado mañana lo cogen... Después empezará la sumaria[8]...»

---

7 *en pelo*: sin silla ni montura.
8 *sumaria*: sumario para preparar un juicio.

– ¿Dices que cuándo? –le respondí en alta voz–. Pues mira: va a ser el mes que entra.

Parrón se estremeció, y yo también, conociendo que el amor propio de adivino me podía salir por la tapa de los sesos.

– Pues mira tú, gitano... –contestó Parrón muy lentamente–. Vas a quedarte en mi poder... ¡Si en todo el mes que entra no me ahorcan, te ahorco yo a ti, tan cierto como ahorcaron a mi padre! Si muero para esa fecha, quedarás libre.

«¡Muchas gracias!», dije yo en mi interior. «¡Me perdona... después de muerto!»

Y me arrepentí de haber echado tan corto el plazo.

Quedamos en lo dicho: fui conducido a la cueva, donde me encerraron, y Parrón montó en su yegua y tomó el tole[9] por aquellos breñales[10]...

– ¡Vamos, ya comprendo... –exclamó el Conde del Montijo–: Parrón ha muerto; tú has quedado libre, y por eso sabes sus señas!...

– ¡Todo lo contrario, mi general! Parrón vive, y aquí entra lo más negro de la presente historia.

II

Pasaron ocho días sin que el capitán volviese a verme. Según pude entender, no había parecido por allí desde la tarde que le hice la buenaventura, cosa que nada tenía de raro, a lo que me contó uno de mis guardianes.

– Sepa usted –me dijo– que el jefe se va al infierno de vez en cuando y no vuelve hasta que se le antoja. Ello es que nosotros no sabemos nada de lo que hace durante sus largas ausencias.

A todo esto, a fuerza de ruegos, y como pago de haber dicho la buenaventura a todos los ladrones, pronosticándoles que no serían ahorcados y que llevarían una vejez muy

---

9 *tomó el tole*: se marchó rápidamente.
10 *breñales*: parajes abruptos y llenos de maleza.

tranquila, había yo conseguido que por las tardes me sacasen de la cueva y me atasen a un árbol, pues en mi encierro me ahogaba de calor.

Pero excuso decir que nunca faltaba a mi lado un par de centinelas.

Una tarde, a eso de las seis, los ladrones que habían salido *de servicio* aquel día, a las órdenes del segundo de Parrón, regresaron al campamento, llevando consigo, maniatado como pintan a nuestro Padre Jesús Nazareno, a un pobre segador de cuarenta a cincuenta años, cuyas lamentaciones partían el alma:

– ¡Dadme mis veinte duros! –decía–. ¡Ah, si supierais con qué afanes los he ganado! ¡Todo un verano segando bajo el fuego del sol!... ¡Todo un verano lejos de mi pueblo, de mi mujer y de mis hijos! ¡Así he reunido, con mil sudores y privaciones, esa suma con que podríamos vivir este invierno!... Y cuando ya voy de vuelta, deseando abrazarlos y pagar las deudas que para comer hayan hecho aquellos infelices, ¿cómo he de perder ese dinero, que es para mí un tesoro? ¡Piedad, señores! ¡Dadme mis veinte duros! ¡Dádmelos, por los dolores de María Santísima!

Una carcajada de burla contestó las quejas del pobre padre.

Yo temblaba de horror en el árbol a que estaba atado, porque los gitanos también tenemos familia...

– No seas loco... –exclamó al fin un bandido, dirigiéndose al segador–. Haces mal en pensar en tu dinero cuando tienes cuidados mayores en qué ocuparte...

– ¡Cómo! –dijo el segador, sin comprender que hubiese desgracia más grande que dejar sin pan a sus hijos.

– ¡Estás en poder de Parrón!

– Parrón... ¡No lo conozco!... Nunca lo he oído nombrar... ¡Vengo de muy lejos! Yo soy de Alicante, y he estado segando en Sevilla.

– Pues, amigo mío, Parrón quiere decir la *muerte*. Todo el que cae en nuestro poder es preciso que muera. Así pues, haz testamento en dos minutos, y encomienda el alma en otros dos. ¡Preparen! ¡Apunten! Tienes cuatro minutos.

– Voy a aprovecharlos... ¡Oídme, por compasión!...

– Habla.

– Tengo seis hijos... y una infeliz... diré *viuda*..., pues veo que voy a morir. Leo en vuestros ojos que sois peores que fieras... ¡Sí, peores! Porque las fieras de una misma especie no se devoran unas a otras. ¡Ah, perdón..., no sé lo que me digo! Caballeros: ¡alguno de ustedes será padre!... ¿No hay un padre entre vosotros? ¿Sabéis lo que son seis niños pasando un invierno sin pan? ¿Sabéis lo que es una madre viendo morir a los hijos de sus entrañas diciendo: tengo hambre..., tengo frío? Señores: ¡yo no quiero mi vida si no por ellos! ¿Qué es para mí la vida? ¡Una cadena de trabajos y privaciones! Pero ¡debo vivir para mis hijos!... ¡Hijos míos! ¡Hijos de mi alma!

Y el padre se arrastraba por el suelo, y levantaba hacia los ladrones una cara... ¡Qué cara!... ¡Se parecía a la de los Santos que el rey Nerón echaba a los tigres, según dicen los padres predicadores!...

Los bandidos sintieron moverse algo dentro de su pecho, pues se miraron unos a otros..., y, viendo que todos estaban pensando en la misma cosa, uno de ellos se atrevió a decirla...

– ¿Qué dijo? –preguntó el Capitán General, profundamente afectado por aquel relato.

– Dijo:

– Caballeros: lo que vamos a hacer no lo sabrá nunca Parrón...

– ¡Nunca!... ¡Nunca!... –tartamudearon los bandidos.

– Márchese usted, buen hombre... –exclamó entonces uno que hasta lloraba...

Yo hice también señas al segador de que se fuese al instante.

El infeliz se levantó lentamente.

– ¡Pronto!... ¡Márchese usted! –repitieron todos, volviéndole la espalda.

El segador alargó la mano maquinalmente.

– ¿Te parece poco? –gritó uno–. ¡Pues no quiere su dinero! Vaya..., vaya... ¡No nos tiente usted la paciencia!

El pobre padre se alejó llorando, y a poco desapareció.

Media hora había transcurrido, empleada por los ladrones en jurarse unos a otros no decir nunca a su capitán que habían perdonado la vida a un hombre, cuando de pronto apareció Parrón trayendo al segador en la grupa de su yegua.

Los bandidos retrocedieron espantados.

Parrón se apeó muy despacio: descolgó su escopeta de dos cañones, y, apuntando a sus camaradas, dijo:

— ¡Imbéciles! ¡Infames! ¡No sé cómo no os mato a todos! ¡Pronto! ¡Entregad a este hombre los veinte duros que le habéis robado!

Los ladrones sacaron los veinte duros y se los dieron al segador, el cual se arrojó a los pies de aquel personaje que dominaba a los bandoleros y que tan buen corazón tenía...

— ¡A la paz de Dios! Sin las indicaciones de usted, nunca hubiera dado con ellos. ¡Ya ve usted que desconfiaba de mí sin motivo!... He cumplido mi promesa... Ahí tiene usted sus veinte duros... Conque... ¡en marcha!

El segador lo abrazó repetidas veces, y se alejó lleno de júbilo.

Pero no habría andado cincuenta pasos cuando su bienhechor lo llamó de nuevo.

El pobre hombre se apresuró a volver pies atrás.

— ¿Qué manda usted? –le preguntó, deseando ser útil al que había devuelto la felicidad a su familia.

— ¿Conoce usted a Parrón? –le preguntó él mismo.

— No lo conozco.

— ¡Te equivocas! –replicó el bandolero–. Yo soy Parrón.

El segador se quedó estupefacto.

Parrón se echó la escopeta a la cara y descargó los dos tiros contra el segador, que cayó rodando al suelo.

— ¡Maldito seas! –fue lo único que pronunció.

En medio del terror que me quitó la vista, observé que el árbol en que yo estaba atado se estremecía ligeramente y que mis ligaduras se aflojaban.

Una de las balas, después de herir al segador, había dado en la cuerda que me ligaba al tronco y la había roto.

Yo disimulé que estaba libre, y esperé una ocasión para escaparme.

Entre tanto decía Parrón a los suyos, señalando al segador:

— Ahora podéis robarlo. Sois unos imbéciles..., ¡unos canallas! ¡Dejar a ese hombre para que se fuera, como se fue, dando gritos por los caminos reales!... ¡Si conforme soy yo quien se lo encuentra y se entera de lo que pasaba hubieran sido los migueletes[11], habría dado vuestras señas y las de nuestra guarida, como me las ha dado a mí, y estaríamos ya todos en la cárcel! ¡Ved las consecuencias de robar sin matar! Conque basta ya de sermón, y enterrad ese cadáver para que no apeste.

Mientras los ladrones hacían el hoyo y Parrón se sentaba a merendar, dándome la espalda, me alejé poco a poco del árbol y me descolgué al barranco próximo...

Ya era de noche. Protegido por sus sombras, salí a todo escape y a la luz de las estrellas divisé mi borrico, que comía allí tranquilamente, atado a una encina. Montéme en él y no he parado hasta llegar aquí...

Por consiguiente, señor, déme usted los mil reales y yo diré las señas de Parrón, el cual se ha quedado con mis tres duros y medio...

Dictó el gitano la filiación del bandido, cobró, desde luego, la suma ofrecida y salió de la Capitanía General, dejando asombrados al Conde del Montijo y al sujeto, allí presente, que nos ha contado todos estos pormenores.

Réstanos ahora saber si acertó o no acertó Heredia al decir la buenaventura.

                                   III

Quince días después de la escena que acabamos de referir, y a eso de las nueve de la mañana, muchísima gente ociosa presenciaba, en la calle de San Juan de Dios y parte de la de San Felipe, de aquella misma capital, la reunión de dos compañías de migueletes, que debían salir a las nueve y media en busca de Parrón, cuyo paradero, así como sus señas personales y las de todos sus compañeros de fechorías, había, al fin, averiguado el Conde del Montijo.

El interés y emoción del público eran extraordinarios, y no menos la solemnidad con que los migueletes se despedían

---

11 *migueletes:* milicia encargada del orden público en las zonas rurales.

de sus familias y amigos para marchar a tan importante empresa. ¡Tal espanto había llegado a infundir Parrón a todo el antiguo reino granadino!

— Parece que ya vamos a formar... –dijo un miguelete a otro– y no veo al cabo López...

— ¡Extraño es a fe mía, pues él llega siempre antes que nadie cuando se trata de salir en busca de Parrón, a quien odia con sus cinco sentidos!

— ¿Pues no sabéis lo que pasa? –dijo un tercer miguelete, tomando parte en la conversación.

— ¡Hola! Es nuestro nuevo camarada... ¿Cómo te va en nuestro cuerpo?

— ¡Perfectamente! –respondió el interrogado.

Era éste un hombre pálido y de porte distinguido, del cual se despegaba mucho el traje de soldado.

— Conque... ¿decías...? –replicó el primero.

— ¡Ah, sí! Que el cabo López ha fallecido... –respondió el miguelete pálido.

— Manuel... ¿qué dices? ¡Eso no puede ser!... Yo mismo he visto a López esta mañana, como te veo a ti...

El llamado Manuel contestó fríamente:

— Pues hace media hora que lo ha matado Parrón.

— ¿Parrón?... ¿Dónde?

— ¡Aquí mismo! ¡En Granada! En la cuesta del Perro se ha encontrado su cadáver.

Todos quedaron silenciosos, y Manuel empezó a silbar una canción patriótica.

— ¡Van once migueletes en seis días! –exclamó un sargento–. ¡Parrón se ha propuesto exterminarnos! Pero, ¿cómo es que está en Granada? ¿No íbamos a buscarlo a la sierra de Loja?

Manuel dejó de silbar y dijo con su acostumbrada indiferencia:

— Una vieja que presenció el delito dice que, luego que mató a López, ofreció que si íbamos a buscarlo tendríamos el gusto de verlo...

— ¡Camarada, disfrutas de una calma asombrosa! ¡Hablas de Parrón con un desprecio!...

— ¿Pues qué es Parrón más que un hombre? –repuso Manuel con altanería.

— ¡A la formación! –gritaron en este acto varias voces.

Formaron las dos compañías, y comenzó la lista nominal.

En tal momento acertó a pasar por allí el gitano Heredia, el cual se paró, como todos, a ver aquella lucidísima tropa.

Notóse entonces que Manuel, el nuevo miguelete, dio un retemblido y retrocedió un poco, como para ocultarse detrás de sus compañeros...

Al propio tiempo Heredia fijó en él sus ojos, y dando un grito y un salto, como si le hubiese picado una víbora, arrancó a correr hacia la calle de San Jerónimo.

Manuel se echó la carabina a la cara y apuntó al gitano...

Pero otro miguelete tuvo tiempo de mudar la dirección del arma, y el tiro se perdió en el aire.

— ¡Está loco! ¡Manuel se ha vuelto loco! ¡Un miguelete ha perdido el juicio! –exclamaron sucesivamente los mil espectadores de aquella escena.

Y oficiales y sargentos y paisanos rodeaban a aquel hombre, que pugnaba por escapar, y al que por lo mismo suje-

taban con mayor fuerza, abrumándolo a preguntas, reconvenciones y dicterios[12], que no le arrancaron contestación alguna.

Entre tanto, Heredia había sido preso en la plaza de la Universidad por algunos transeúntes que, viéndolo correr, después de haber sonado aquel tiro, lo tomaron por un malhechor.

— ¡Llevadme a la Capitanía General! —decía el gitano— ¡Tengo que hablar con el conde del Montijo!

— ¡Qué Conde del Montijo ni que niño muerto! —le respondieron sus aprehensores—. ¡Allí están los migueletes, y ellos verán lo que hay que hacer con tu persona!

— Pues lo mismo me da... —respondió Heredia—. Pero tengan ustedes cuidado de que no me mate Parrón...

— ¿Cómo Parrón? ¿Qué dice este hombre?

— Venid y veréis.

Así diciendo, el gitano se hizo conducir delante del jefe de los migueletes, y señalando a Manuel, dijo:

— Mi comandante, ¡ése es Parrón, y yo soy el gitano que dio hace quince días sus señas al Conde del Montijo!

— ¡Parrón! ¡Parrón está preso! ¡Un miguelete era Parrón!... —gritaron muchas voces.

— No cabe duda... —decía entre tanto el comandante, leyendo las señas que le había dado el Capitán General—. ¡A fe que hemos estado torpes! Pero, ¿a quién se le hubiera ocurrido buscar al capitán de ladrones entre los migueletes que iban a prenderlo?

— ¡Necio de mí! —exclamaba al mismo tiempo Parrón, mirando al gitano con ojos de león herido—. ¡Es el único hombre a quien he perdonado la vida! ¡Merezco lo que me pasa!

A la semana siguiente ahorcaron a Parrón.

Cumplióse, pues, literalmente la buenaventura del gitano...

Lo cual (dicho sea para concluir dignamente) no significa que debáis creer en la infalibilidad de tales vaticinios,

---

12 *dicterios*: insultos.

ni menos que fuera acertada regla de conducta la de Parrón de matar a todos los que llegaban a conocerlo... Significa tan sólo que los caminos de la Providencia[13] son inescrutables[14] para la razón humana; doctrina que, a mi juicio, no puede ser más ortodoxa[15].

---

13 *Providencia*: tutela divina sobre todas las cosas.
14 *inescrutables*: que no se pueden conocer.
15 *ortodoxa*: correcta, ajustada a la doctrina de la Iglesia.

El extranjero

I

No consiste la fuerza en echar por tierra al enemigo, sino en domar la propia cólera», dice una máxima oriental.

«No abuses de la victoria», añade un libro de nuestra religión.

«Al culpado que cayere debajo de tu jurisdicción[1] considérale hombre miserable, sujeto a las condiciones de la depravada naturaleza nuestra, y en todo cuanto estuviere de tu parte, sin hacer agravio a la contraria, muéstratele piadoso y clemente, porque, aunque los atributos de Dios son todos iguales, más resplandece y campea a nuestro ver el de la misericordia que el de la justicia», aconsejó, en fin, don Quijote a Sancho Panza[1].

Para dar realce a todas estas elevadísimas doctrinas, y cediendo también a un espíritu de equidad[2], nosotros, que nos complacemos frecuentemente en referir y celebrar los actos heroicos de los españoles durante la Guerra de la Independencia, y en condenar y maldecir la perfidia y crueldad de los invasores, vamos a narrar hoy un hecho que, sin entibiar en el corazón el amor a la patria, fortifica otro sentimiento no menos sublime y profundamente cristiano: el

---

1 *jurisdicción*: poder o autoridad para ejercer la justicia.
2 *equidad*: imparcialidad.

1 *Don Quijote*, parte II, capítulo 42.

amor a nuestro prójimo; sentimiento que, si por congénita[3] desventura de la humana especie, ha de transigir con la dura ley de la guerra, puede y debe resplandecer cuando el enemigo está humillado.

El hecho fue el siguiente, según que me lo han contado personas dignas de entera fe que intervinieron en él muy de cerca y que todavía andan por el mundo. Oíd sus palabras textuales.

II

— Buenos días, abuelo... –dije yo.

— Dios guarde a usted, señorito... –dijo él.

— ¡Muy solo va usted por estos caminos!...

— Sí, señor. Vengo de las minas de Linares, donde he estado trabajando algunos meses, y voy a Gádor a ver a mi familia. ¿Usted irá...?

— Voy a Almería..., y me he adelantado un poco a la galera[4], porque me gusta disfrutar de estas hermosas mañanas de abril. Pero, si no me engaño, usted rezaba cuando yo llegué... Puede usted continuar. Yo seguiré leyendo entre tanto, supuesto que la galera anda tan lentamente que le permite a uno estudiar en mitad de los caminos.

— ¡Vamos! Ese libro es alguna historia... ¿Y quién le ha dicho a usted que yo rezaba?

— ¡Toma! ¡Yo, que le he visto a usted quitarse el sombrero y santiguarse!

— Pues, ¡qué demonio!, hombre... ¿Por qué he de negarlo? Rezando iba... ¡Cada uno tiene sus cuentas con Dios!

— Es mucha verdad.

— ¿Piensa usted andar largo?

— ¿Yo? Hasta la venta...

— En este caso, eche usted por esa vereda y cortaremos camino.

---

3 *congénita*: innata.
4 *galera*: carruaje grande para transporte de viajeros.

– Con mucho gusto. Esa cañada me parece deliciosa. Bajemos a ella.

Y, siguiendo al viejo, cerré el libro, dejé el camino y descendí a un pintoresco barranco.

Las verdes tintas y diafanidad del lejano horizonte, así como la inclinación de las montañas, indicaban ya la proximidad del Mediterráneo.

Anduvimos en silencio algunos minutos, hasta que el minero se paró de pronto.

– ¡Cabales! –exclamó.

Y volvió a quitarse el sombrero y a santiguarse.

Estábamos bajo unas higueras cubiertas ya de hojas, y a la orilla de un pequeño torrente.

– ¡A ver, abuelito!... –dije, sentándome sobre la hierba–. Cuénteme usted lo que ha pasado aquí.

– ¡Cómo! ¿Usted sabe? –replicó él, estremeciéndose.

– Yo no sé más... –añadí con suma calma–, sino que aquí ha muerto un hombre... ¡Y de mala muerte, por más señas!

– ¡No se equivoca usted, señorito! ¡No se equivoca usted! Pero ¿quién le ha dicho?...

– Me lo dicen sus oraciones de usted.

– ¡Es mucha verdad! Por eso rezaba.

Yo miré tenazmente la fisonomía del minero, y comprendí que había sido siempre hombre honrado. Casi lloraba, y su rezo era tranquilo y dulce.

– Siéntese usted aquí, amigo mío... –le dije, alargándole un cigarro de papel.

– Pues verá usted, señorito... Vaya, ¡muchas gracias! ¡Delgadillo es!...

– Reúna usted dos y resultará uno doble de grueso –añadí, dándole otro cigarro.

– ¡Dios se lo pague a usted! Pues, señor... –dijo el viejo, sentándose a mi lado–, hace cuarenta y cinco años que una mañana muy parecida a ésta pasaba yo casi a esta hora por este mismo sitio...

«¡Cuarenta y cinco años!», medité yo.

Y la melancolía del tiempo cayó sobre mi alma. ¿Dónde estaban las flores de aquellas cuarenta y cinco primaveras? ¡Sobre la frente del anciano blanqueaba la nieve de setenta inviernos!

Viendo él que yo no decía nada, echó unas yescas[5], encendió el cigarro y continuó de este modo:

— ¡Flojillo es! Pues, señor, el día que le digo a usted venía yo de Gergal[2] con una carga de barrilla[6], y al llegar al punto en que hemos dejado el camino para tomar esta vereda me encontré con dos soldados españoles que llevaban prisionero a un polaco. En aquel entonces era cuando estaban aquí los primeros franceses[3], no los del año veintitrés[4], sino los otros...

— ¡Ya comprendo! Usted habla de la Guerra de la Independencia.

— ¡Hombre! ¡Pues entonces no había usted nacido!

— ¡Ya lo creo!

— ¡Ah, sí! Estará apuntado en ese libro que venía usted leyendo. Pero, ¡ca!, lo mejor de estas guerras no lo rezan los libros. Ahí ponen lo que más acomoda..., y la gente se lo cree a puño cerrado. ¡Ya se ve! ¡Es necesario tener tres duros y medio de vida, como yo los tendré en el mes de San Juan, para saber más de cuatro cosas! En fin, el polaco aquel servía a las órdenes de Napoleón..., del bribonazo que murió ya... Porque ahora dice el señor cura que hay otro[5]... Pero yo creo que ése no vendrá por estas tierras... ¿Qué le parece a usted, señorito?

— ¿Qué quiere usted que yo le diga?

— ¡Es verdad! Su merced no habrá estudiado todavía de estas cosas. ¡Oh! El señor cura, que es un sujeto muy instruido, sabe cuándo se acabarán los mamelucos[7] de Oriente y vendrán a Gádor los rusos y moscovitas a quitar la Cons-

---

5 *echó unas yescas*: para encender fuego se chocaba un *eslabón* (pieza acerada) contra un *pedernal*; al saltar la chispa se aplicaba una materia seca y fácilmente combustible (*yesca*), con lo que se obtenía fuego.
6 *barrilla*: planta de hojas blanquecinas, de cuya ceniza se obtiene la sosa.
7 *mamelucos*: soldados del sultán de Egipto que combatían en el ejército napoleónico.

2 Población de la provincia de Almería.
3 El ejército de Napoleón invadió España en 1808.
4 Los llamados «Cien mil hijos de San Luis», que invadieron España en 1823 para restablecer el régimen absolutista de Fernando VII.
5 Napoleón III, sobrino de Napoleón I. Se proclamó emperador en 1852.

titución... Pero ¡entonces ya me habré yo muerto!... Conque vuelvo a la historia de mi polaco.

El pobre hombre se había quedado enfermo en Fiñana, mientras que sus compañeros fugitivos se replegaban hacia Almería. Tenía calenturas, según supe más tarde... Una vieja lo cuidaba por caridad, sin reparar que era un enemigo... (¡Muchos años de gloria llevará ya la viejecita por aquella buena acción!), y a pesar de que aquello la comprometía, guardábalo escondido en su cueva, cerca de la Alcazaba...

Allí fue donde la noche antes dos soldados españoles que iban a reunirse a su batallón, y que por casualidad entraron a encender un cigarro en el candil de aquella solitaria vivienda, descubrieron al pobre polaco, el cual, echado en un rincón, profería palabras de su idioma en el delirio de la calentura.

— ¡Presentémoslo a nuestro jefe! —se dijeron los españoles—. Este bribón será fusilado mañana, y nosotros alcanzaremos un empleo[8].

Iwa, que así se llamaba el polaco, según luego me contó la viejecita, llevaba seis meses de tercianas[9], y estaba muy débil, muy delgado, casi hético[10].

La buena mujer lloró y suplicó, protestando que el extranjero no podía ponerse en camino sin caer muerto a la media hora...

Pero sólo consiguió ser apaleada por su falta de «patriotismo». ¡Todavía no se me ha olvidado esta palabra, que antes no había oído pronunciar nunca!

En cuanto al polaco, figuraos cómo miraría aquella escena. Estaba postrado por la fiebre, y algunas palabras sueltas que salían de sus labios, medio polacas, medio españolas, hacían reír a los dos militares.

— ¡Cállate, *didón*[11], perro, gabacho[12]! —le decían.

Y a fuerza de golpes lo sacaron del lecho.

Para no cansar a usted, señorito: en aquella disposición,

8 *empleo*: nombramiento de oficial.
9 *tercianas*: fiebres que repiten cada tres días.
10 *hético*: tísico.
11 *didón*: véase «El carbonero alcalde», p. 6, nota 4.
12 *gabacho*: término despectivo para referirse a los franceses.

medio desnudo, hambriento..., bamboleándose, muriéndose..., ¡anduvo el infeliz cinco leguas[13]! ¡Cinco leguas, señor!... ¿Sabe usted los pasos que tienen cinco leguas? Pues es desde Fiñana hasta aquí... ¡Y a pie!... ¡Descalzo!... ¡Figúrese usted!... ¡Un hombre fino, un joven hermoso y blanco como una mujer, un enfermo, después de seis meses de tercianas!... ¡Y con la terciana en aquel momento mismo!...

— ¿Cómo pudo resistir?

— ¡Ah! ¡No resistió!...

— Pero ¿cómo anduvo cinco leguas?

— ¡Toma! ¡A fuerza de bayonetazos!

— Prosiga usted, abuelo... Prosiga usted.

— Yo venía por este barranco, como tengo de costumbre, para ahorrar terreno, y ellos iban por allá arriba, por el camino. Detúveme, pues, aquí mismo, a fin de observar el remate de aquella escena, mientras picaba un cigarro negro que me habían dado en las minas...

Iwa jadeaba como un perro próximo a rabiar... Venía con la cabeza descubierta, amarillo como un desenterrado, con dos rosetas encarnadas en lo alto de las mejillas y con los ojos llameantes, pero caídos... ¡hecho, en fin, un Cristo en la calle de la Amargura!...

— ¡Mí querer morir! ¡Matar a mí por Dios! —balbuceaba el extranjero con las manos cruzadas.

Los españoles se reían de aquellos disparates, y le llamaban *franchute, didón* y otras cosas.

Dobláronse al fin las piernas de Iwa, y cayó redondo al suelo.

Yo respiré, porque creí que el pobre había dado el alma a Dios.

Pero un pinchazo que recibió en un hombro le hizo erguirse de nuevo.

Entonces se acercó a este barranco para precipitarse y morir...

Al impedirlo los soldados, pues no les acomodaba que muriera su prisionero, me vieron aquí con mi mulo que, como he dicho, estaba cargado de barrilla.

---

13 *legua*: unos cinco quilómetros y medio.

— ¡Eh, camarada! —me dijeron, apuntándome con los fusiles—. ¡Suba usted ese mulo!

Yo obedecí sin rechistar, creyendo hacer un favor al extranjero.

— ¿Dónde va usted? —me preguntaron cuando hube subido.

— Voy a Almería —les respondí—. ¡Y eso que ustedes están haciendo es una inhumanidad!

— ¡Fuera sermones! —gritó uno de los verdugos.

— ¡Un arriero afrancesado[14]! —dijo el otro.

— ¡Charla mucho... y verás lo que te sucede!

La culata de un fusil cayó sobre mi pecho...

¡Era la primera vez que me pegaba un hombre, además de mi padre!

— ¡No irritar! ¡No incomodar! —exclamó el polaco, asiéndose a mis pies, pues había caído de nuevo en tierra.

— ¡Descarga la barrilla! —me dijeron los soldados.

— ¿Para qué?

— Para montar en el mulo a este judío.

— Eso es otra cosa... Lo haré con mucho gusto —dije, y me puse a descargar.

— ¡No!... ¡No!... ¡No!... —exclamó Iwa—. ¡Tú dejar que me maten!

— ¡Yo no quiero que te maten, desgraciado! —exclamé, estrechando las ardientes manos del joven.

— ¡Pero mí sí querer! ¡Matar tú a mí por Dios!

— ¿Quieres que yo te mate?

— ¡Sí..., sí..., hombre bueno! ¡Sufrir mucho!

Mis ojos se llenaron de lágrimas.

Volvíme a los soldados, y les dije con tono de voz que hubiera conmovido a una piedra:

— ¡Españoles, compatriotas, hermanos! Otro español, que ama tanto como el que más a nuestra patria, es quien os suplica... ¡Dejadme solo con este hombre!

— ¿No digo que es afrancesado? —exclamó uno de ellos.

— ¡Arriero del diablo —dijo el otro—, cuidado con lo que dices! ¡Mira que te rompo la crisma!

---

14 *afrancesado*: Véase «El carbonero alcalde», p. 5, nota 2.

– ¡Militar de los demonios –contesté con la misma fuerza–, yo no temo a la muerte! ¡Sois dos infames sin corazón!
Sois dos hombres fuertes y armados contra un moribundo
inerme... ¡Sois unos cobardes! Dadme uno de esos fusiles y
pelearé con vosotros hasta mataros o morir..., pero dejad a
este pobre enfermo, que no puede defenderse. ¡Ay! –con-
tinué, viendo que uno de aquellos tigres se ruborizaba–, si,
como yo, tuvieseis hijos; si pensarais que tal vez mañana se
verán en la tierra de este infeliz, en la misma situación que
él, solos, moribundos, lejos de sus padres; si reflexionarais
en que este polaco no sabe siquiera lo que hace en España,
en que será un quinto robado a su familia para servir a la
ambición de un rey..., ¡qué diablo!, vosotros lo perdonaríais...
¡Sí, porque vosotros sois hombres antes que españoles, y este
polaco es un hombre, un hermano vuestro! ¿Qué ganará España con la muerte de un tercianario[15]? ¡Batíos hasta morir
con todos los granaderos de Napoleón; pero que sea en el
campo de batalla! Y perdonad al débil; ¡sed generosos con
el vencido; sed cristianos; no seáis verdugos!

– ¡Basta de letanías! –dijo el que siempre había llevado
la iniciativa de la crueldad, el que hacía andar a Iwa a fuerza
de bayonetazos, el que quería comprar un empleo al precio
de su cadáver.

– Compañero, ¿qué hacemos? –preguntó el otro, medio
conmovido con mis palabras.

– ¡Es muy sencillo! –repuso el primero–. ¡Mira!

Y sin darme tiempo, no digo de evitar, sino de prever
sus movimientos, descerrajó un tiro sobre el corazón del
polaco.

Iwa me miró con ternura, no sé si antes o después de
morir.

Aquella mirada me prometió el cielo, donde acaso estaba ya el mártir.

En seguida los soldados me dieron una paliza con las
baquetas[16] de los fusiles.

---

15 *tercianario*: que padece fiebres tercianas.
16 *baquetas*: varas delgadas que servían para cargar los fusiles.

El que había matado al extranjero le cortó una oreja, que guardó en el bolsillo.

¡Era la credencial del empleo que deseaba!

Después desnudó a Iwa, y le robó... hasta cierto medallón (con un retrato de mujer o de santa) que llevaba al cuello.

Entonces se alejaron hacia Almería.

Yo enterré a Iwa en este barranco..., ahí..., donde está usted sentado..., y me volví a Gergal, porque conocí que estaba malo.

Y con efecto, aquel lance me costó una terrible enfermedad, que me puso a las puertas de la muerte.

— ¿Y no volvió usted a ver a aquellos soldados? ¿No sabe usted cómo se llamaban?

— No, señor; pero por las señas que me dio más tarde la viejecita que cuidó al polaco supe que uno de los dos españoles tenía el apodo de *Risas*, y que aquél era justamente el que había matado y robado al pobre extranjero...

En esto nos alcanzó la galera: el viejo y yo subimos al camino, nos apretamos la mano y nos despedimos muy contentos el uno del otro.

¡Habíamos llorado juntos!

III

Tres noches después tomábamos café varios amigos en el precioso casino de Almería.

Cerca de nosotros, y alrededor de otra mesa, se hallaban dos viejos militares retirados, comandante el uno y coronel el otro, según dijo alguno que los conocía.

A pesar nuestro, oíamos su conversación, pues hablaban tan alto como suelen los que han mandado mucho.

De pronto hirió mis oídos y llamó mi atención esta frase del coronel:

– El pobre *Risas*...

«¡*Risas*!», exclamé para mí.

Y me puse a escuchar de intento.

– El pobre *Risas*... –decía el coronel– fue hecho prisionero por los franceses cuando tomaron a Málaga, y de depósito en depósito, fue a parar nada menos que a Suecia, donde yo estaba también cautivo, como todos los que no pudimos escaparnos con el Marqués de la Romana[6]. Allí lo conocí, porque intimó con Juan, mi asistente de toda la vida, o de toda mi carrera; y cuando Napoleón tuvo la crueldad de llevar a Rusia, formando parte de su Grande Ejército, a todos los españoles que estábamos prisioneros en su poder, tomé de ordenanza[17] a *Risas*. Entonces me enteré de que tenía un miedo cerval a los polacos, o un terror supersticioso a Polonia, pues no hacía.más que preguntarnos a Juan y a mí «si tendríamos que pasar por aquella tierra para ir a Rusia», estremeciéndose a la idea de que tal llegase a acontecer. Indudablemente, a aquel hombre, cuya cabeza no estaba muy firme, por lo mucho que había abusado de las bebidas espirituosas[18], pero que en lo demás era un buen soldado y un mediano cocinero, le había ocurrido algo grave

---

17 *ordenanza*: soldado que está al servicio de un jefe militar.
18 *espirituosas*: alcohólicas.

---

6 General de un ejército de 15.000 hombres que en 1807 envió España, entonces aliada de Francia, para ayudar a Napoleón. Cuando, hallándose en Dinamarca, se enteró de la sublevación de los españoles contra los franceses, con gran sigilo emprendió el regreso a España para luchar contra los invasores.

con algún polaco, ora en la guerra de España, ora en su larga
peregrinación por otras naciones. Llegados a Varsovia,
donde nos detuvimos algunos días, *Risas* se puso gravemente
enfermo, de fiebre cerebral, por resultas del terror pánico
que le había acometido desde que entramos en tierra po-
lonesa, y yo, que le tenía ya cierto cariño, no quise dejarlo
allí solo cuando recibimos la orden de marcha, sino que
conseguí de mis jefes que Juan se quedase en Varsovia cui-
dándolo, sin perjuicio de que, resuelta aquella crisis de un
modo o de otro, saliese luego en mi busca con algún convoy
de equipajes y víveres, de los muchos que seguirían a la
nube de gente en que mi regimiento figuraba a vanguardia.
¡Cuál fue, pues, mi sorpresa cuando el mismo día que nos
pusimos en camino, y a las pocas horas de haber echado a
andar, se me presentó mi antiguo asistente, lleno de terror,
y me dijo lo que acababa de suceder con el pobre *Risas*!
¡Dígole a usted que el caso es de lo más singular y estupendo
que haya ocurrido nunca! Oígame y verá si hay o no motivo
para que yo haya olvidado esta historia en cuarenta y dos
años. Juan había buscado un buen alojamiento para cuidar
a *Risas* en casa de cierta labradora viuda, con tres hijas
casaderas, que desde que llegamos a Varsovia los españoles
no había dejado de preguntarnos a todos por medio de in-
térpretes franceses, si sabíamos algo de un hijo suyo llamado
Iwa, que vino a la guerra de España en 1808[7] y de quien
hacía tres años no tenía noticia alguna, cosa que no pasaba
a las demás familias que se hallaban en idéntico caso. Como
Juan era tan zalamero, halló modo de consolar y esperanzar
a aquella triste madre, y de aquí el que, en recompensa, ella
se brindara a cuidar a *Risas* al verlo caer en su presencia
atacado de la fiebre cerebral... Llegados a casa de la buena
mujer, y estando ésta ayudando a desnudar al enfermo, Juan
la vio palidecer de pronto y apoderarse convulsivamente de
cierto medallón de plata, con una efigie o retrato en minia-
tura, que *Risas* llevaba siempre al pecho, bajo la ropa, a

---

7 En el ejército napoleónico combatían soldados de las naciones sometidas por
los franceses.

modo de talismán o conjuro contra los polacos, por creer
que representaba a una Virgen o Santa de aquel país.

— ¡Iwa! ¡Iwa! –gritó después la viuda de un modo horrible, sacudiendo al enfermo, que nada entendía, aletargado
como estaba por la fiebre.

En esto acudieron las hijas, y enteradas del caso, cogie-
ron el medallón, lo pusieron al lado del rostro de su madre,
llamando por medio de señas la atención de Juan para que
viese, como vio, que la tal efigie no era más que el retrato
de aquella mujer, y encarándose entonces con él, visto que
su compatriota no podía responderles, comenzaron a inte-
rrogarle mil cosas con palabras ininteligibles, bien que con
gestos y ademanes, que revelaban claramente la más si-
niestra furia. Juan se encogió de hombros, dando a entender
por señas que él no sabía nada de la procedencia de aquel
retrato ni conocía a *Risas* más que de muy poco tiempo... El
noble semblante de mi honradísimo asistente debió de pro-
bar a aquellas cuatro leonas encolerizadas que el pobre no
era culpable... ¡Además, él no llevaba el medallón! Pero el
otro... ¡al otro, al pobre *Risas*, lo mataron a golpes y lo hicieron pedazos con las uñas! Es cuanto sé con relación a este
drama, pues nunca he podido averiguar por qué tenía *Risas*
aquel retrato.

— Permítame usted que se lo cuente yo... –dije sin poder
contenerme.

Y acercándome a la mesa del coronel y del comandante,
después de ser presentado a ellos por mis amigos, les referí
a todos la espantosa narración del minero.

Luego que concluí, el comandante, hombre de más de
setenta años, exclamó con la fe sencilla del antiguo militar,
con el arranque de un buen español y con toda la autoridad
de sus canas:

— ¡Vive Dios, señores, que en todo eso hay algo más que
una casualidad!

La mujer alta

CUENTO DE MIEDO

I

Qué sabemos! Amigos míos..., ¿qué sabemos? —exclamó Gabriel, distinguido ingeniero de Montes, sentándose debajo de un pino y cerca de una fuente, en la cumbre del Guadarrama, a legua y media de El Escorial, en el límite divisorio de las provincias de Madrid y Segovia; sitio y fuente y pino que yo conozco y me parece estar viendo, pero cuyo nombre se me ha olvidado—. Sentémonos, como es de rigor y *está escrito*... en nuestro programa —continuó Gabriel—, a descansar y hacer por la vida[1] en este ameno y clásico paraje, famoso por la virtud digestiva del agua de ese manantial y por los muchos borregos que aquí se han comido nuestros ilustres maestros don Miguel Bosch, don Máximo Laguna, don Agustín Pascual y otros grandes naturalistas; os contaré una rara y peregrina[2] historia en comprobación de mi tesis..., reducida a manifestar, aunque me llaméis oscurantista[3], que en el globo terráqueo ocurren todavía cosas sobrenaturales: esto es, cosas que no caben en la cuadrícula de la razón, de la ciencia ni de la filosofía, tal y como hoy se entienden (o no se entienden) semejantes «palabras, palabras y palabras», que diría Hamlet[1].

---

1 *hacer por la vida*: divertirse.
2 *peregrina*: insólita, extraña.
3 *oscurantista*: supersticioso, enemigo de la ciencia.

1 *Hamlet,* acto II, escena II.

Enderezaba Gabriel este pintoresco discurso a cinco sujetos de diferente edad, pero ninguno joven, y sólo uno entrado ya en años; también ingenieros de Montes tres de ellos,
pintor el cuarto y un poco literato el quinto; todos los cuales
habían subido con el orador, que era el más pollo[4], en sendas
burras de alquiler, desde el Real Sitio de San Lorenzo, a
pasar aquel día herborizando[5] en los hermosos pinares de
Peguerinos, cazando mariposas por medio de mangas de tul,
cogiendo coleópteros[6] raros bajo la corteza de los pinos en-
fermos y comiéndose una carga de víveres fiambres pagados
a escote[7].

Sucedía esto en 1875, y era en el rigor del estío; no recuerdo si el día de Santiago o el de San Luis... Inclínome a
creer el de San Luis. Como quiera que fuese, gozábase en
aquellas alturas de un fresco delicioso, y el corazón, el estómago y la inteligencia funcionaban allí mejor que en el
mundo social y la vida ordinaria...

Sentado que se hubieron los seis amigos, Gabriel continuó hablando de esta manera:

– Creo que no me tacharéis de visionario... Por fortuna
o desgracia mía soy, digámoslo así, un hombre a la moderna,
nada supersticioso, y tan positivista[8] como el que más, bien
que incluya entre los datos *positivos* de la Naturaleza todas
las misteriosas facultades y emociones de mi alma en materias de sentimiento... Pues bien; a propósito de fenómenos
sobrenaturales o *extranaturales*, oíd lo que yo he oído y ved
lo que yo he visto, aun sin ser el verdadero héroe de la
singularísima historia que voy a contar; y decidme en seguida qué explicación terrestre, física, natural, o como que-
ramos llamarla, puede darse a tan maravilloso acontecimiento.

---

4 *pollo*: joven.
5 *herborizando*: recogiendo muestras de plantas.
6 *coleópteros*: insectos como el escarabajo, el gorgojo, etc.
7 *pagar a escote*: pagar cada una de varias personas una parte del importe de
  algo.
8 *positivista*: que sólo cree en lo que se puede demostrar experimentalmente.
  El positivismo fue un sistema filosófico muy extendido durante la segunda
  mitad del siglo XIX.

– El caso fue como sigue... ¡A ver! ¡Echad una gota, que ya se habrá refrescado el pellejo[9] dentro de esa bullidora y cristalina fuente, colocada por Dios en esta pinífera[10] cumbre para enfriar el vino de los botánicos!

II

– Pues, señor, no sé si habréis oído hablar de un ingeniero de Caminos llamado Telesforo X..., que murió en 1860.

– Yo no...

– ¡Yo sí!

– Yo también: un muchacho andaluz, con bigote negro, que estuvo para casarse con la hija del marqués de Moreda..., y que murió de ictericia[11]...

– ¡Ese mismo! –continuó Gabriel–. Pues bien: mi amigo Telesforo, medio año antes de su muerte, era todavía un joven brillantísimo, como se dice ahora. Guapo, fuerte, animoso, con la aureola de haber sido el primero de su promoción en la Escuela de Caminos, y acreditado ya en la práctica por la ejecución de notables trabajos, disputábanselo varias empresas particulares en aquellos años de oro de las obras públicas[2], y también se lo disputaban las mujeres por casar o mal casadas, y, por supuesto, las viudas impenitentes[12], y entre ellas alguna muy buena moza que... Pero la tal viuda no viene ahora a cuento, pues a quien Telesforo quiso con toda formalidad fue a su citada novia, la pobre Joaquinita Moreda, y lo otro no pasó de un amorío puramente «usufructuario»[13].

– ¡Señor don Gabriel, al orden!

– Sí..., sí, voy al orden, pues ni mi historia ni la contro-

---

9 *pellejo*: piel, generalmente de cabra, preparada para guardar vino o aceite.
10 *pinífera*: llena de pinos.
11 *ictericia*: enfermedad del hígado que se manifiesta mediante la coloración amarilla de la piel.
12 *impenitentes*: que persisten en el error o pecado. Aquí tiene un claro sentido irónico.
13 *usufructuario*: el que disfruta de los bienes de otro.

2 De 1854 a 1862 se construyeron las principales líneas de ferrocarril.

versia pendiente se prestan a chanzas ni donaires. Juan, échame otro medio vaso... ¡Bueno está de verdad este vino! Conque atención y poneos serios, que ahora comienza lo luctuoso[14].

Sucedió, como sabréis los que la conocisteis, que Joaquina murió de repente en los baños de Santa Águeda al fin del verano de 1859... Hallábame yo en Pau cuando me dieron tan triste noticia, que me afectó muy especialmente por la íntima amistad que me unía a Telesforo... A ella sólo le había hablado una vez, en casa de su tía la generala López, y por cierto que aquella palidez azulada, propia de las personas que tienen una aneurisma[15], me pareció desde luego indicio de mala salud... Pero, en fin, la muchacha valía cualquier cosa por su distinción, hermosura y garbo; y como además era hija única de título[16], y de título que llevaba anejos algunos millones, conocí que mi buen matemático estaría inconsolable... Por consiguiente, no bien me hallé de regreso en Madrid, a los quince o veinte días de su desgracia, fui a verlo una mañana muy temprano a su elegante habitación de mozo de casa abierta[17] y de jefe de oficina, calle del Lobo... No recuerdo el número, pero sí que era muy cerca de la Carrera de San Jerónimo.

Contristadísimo, bien que grave y en apariencia dueño de su dolor, estaba el joven ingeniero trabajando ya a aquella hora con sus ayudantes en no sé qué proyecto de ferrocarril, y vestido de riguroso luto. Abrazóme estrechísimamente y por largo rato, sin lanzar ni el más leve suspiro; dio en seguida algunas instrucciones sobre el trabajo pendiente a uno de sus ayudantes, y condújome, en fin, a su despacho particular, situado al extremo opuesto de la casa, diciéndome por el camino con acento lúgubre y sin mirarme:

— Mucho me alegro de que hayas venido... Varias veces te he echado de menos en el estado en que me hallo. Ocúrreme una cosa muy particular y extraña, que sólo un amigo

---

14 *luctuoso*: triste, lamentable.
15 *aneurisma*: enfermedad producida por la ruptura de las arterias.
16 *título*: título de nobleza.
17 *casa abierta*: domicilio y despacho profesional.

como tú podría oír sin considerarme imbécil o loco, y acerca de la cual necesito oír alguna opinión serena y fría como la ciencia... Siéntate... —prosiguió diciendo, cuando hubimos llegado a su despacho—, y no temas en manera alguna que vaya a angustiarte describiéndote el dolor que me aflige, y que durará tanto como mi vida... ¿Para qué? ¡Tú te lo figurarás fácilmente a poco que entiendas de cuitas[18] humanas, y yo no quiero ser consolado ni ahora, ni después, ni nunca! De lo que te voy a hablar con la detención que requiere el caso, o sea tomando el asunto desde su origen, es de una circunstancia horrenda y misteriosa que ha servido como de agüero[19] infernal a esta desventura, y que tiene conturbado mi espíritu hasta un extremo que te dará espanto...

  — ¡Habla! —respondí yo, comenzando a sentir, en efecto, no sé qué arrepentimiento de haber entrado en aquella casa, al ver la expresión de cobardía que se pintó en el rostro de mi amigo.

  — Oye... —repuso él, enjugándose la sudorosa frente.

III

No sé si por fatalidad innata de mi imaginación, o por vicio adquirido al oír alguno de aquellos cuentos de vieja con que tan imprudentemente se asusta a los niños en la cuna, el caso es que desde mis tiernos años no hubo cosa que me causase tanto horror y susto, ya me la figurara mentalmente, ya me la encontrase en realidad, como una mujer sola, en la calle, a las altas horas de la noche.

Te consta que nunca he sido cobarde. Me batí en duelo, como cualquier hombre decente, cierta vez que fue necesario, y, recién salido de la Escuela de Ingenieros, cerré a palos y a tiros en Despeñaperros con[20] mis sublevados peones, hasta que los reduje a la obediencia. Toda mi vida, en

---

18 *cuitas*: penas.
19 *agüero*: pronóstico, vaticinio.
20 *cerrar [...] con*: atacar.

Jaén, en Madrid y en otros varios puntos, he andado a deshora por la calle, solo, sin armas, atento únicamente al cuidado amoroso que me hacía velar, y si por acaso he topado con bultos de mala catadura, fueran ladrones o simples perdonavidas, a ellos les ha tocado huir o echarse a un lado, dejándome libre el mejor camino... Pero si el bulto era una mujer sola, parada o andando, y yo iba también solo, y no se veía más alma viviente por ningún lado..., entonces (ríete si se te antoja, pero creéme) poníaseme carne de gallina; vagos temores asaltaban mi espíritu; pensaba en almas del otro mundo, en seres fantásticos, en todas las invenciones supersticiosas que me hacían reír en cualquier otra circunstancia, y apretaba el paso, o me volvía atrás, sin que ya se me quitara el susto ni pudiera distraerme ni un momento hasta que me veía dentro de mi casa.

Una vez en ella, echábame también a reír y avergonzábame de mi locura, sirviéndome de alivio el pensar que no la conocía nadie. Allí me daba cuenta fríamente de que, pues yo no creía en duendes, ni en brujas, ni en aparecidos, nada había debido temer de aquella flaca hembra, a quien la miseria, el vicio o algún accidente desgraciado tendrían a tal hora fuera de su hogar, y a quien mejor me hubiera estado ofrecer auxilio por si lo necesitaba, o dar limosna si me la pedía... Repetíase, con todo, la deplorable escena cuantas veces se me presentaba otro caso igual, ¡y cuenta que ya tenía yo veinticinco años, muchos de ellos de aventurero nocturno, sin que jamás me hubiese ocurrido lance alguno penoso con las tales mujeres solitarias y trasnochadoras!... Pero, en fin, nada de lo dicho llegó nunca a adquirir verdadera importancia, pues aquel pavor irracional se me disipaba siempre tan luego como llegaba a mi casa o veía otras personas en la calle, y ni tan siquiera lo recordaba a los pocos minutos, como no se recuerdan las equivocaciones o necedades sin fundamento ni consecuencia.

Así las cosas, hace muy cerca de tres años... (desgraciadamente, tengo varios motivos para poder fijar la fecha: ¡la noche del 15 al 16 de noviembre de 1857!) volvía yo, a las tres de la madrugada, a aquella casita de la calle de Jardines, cerca de la calle de la Montera, en que recordarás vivía por entonces... Acababa de salir, a hora tan avanzada, y con un tiempo feroz de viento y frío, no de ningún nido amoroso, sino de... (te lo diré, aunque te sorprenda), de una especie de casa de juego, no conocida bajo este nombre por la Policía[3], pero donde ya se habían arruinado muchas gentes, y a la cual me habían llevado a mí aquella noche por primera... y última vez. Sabes que nunca he sido jugador; entré allí engañado por un mal amigo, en la creencia de que todo iba a reducirse a trabar conocimiento con ciertas damas elegantes, de virtud equivocada (*demi-monde*[21] puro), so pretexto de jugar algunos maravedises[22] al enano[23], en mesa redonda, con faldas de bayeta; y el caso fue que a eso de las doce comenzaron a llegar nuevos tertulios, que venían del teatro Real o de salones verdaderamente aristocráticos, y mudóse de juego, y salieron a relucir monedas de oro, después billetes y luego bonos escritos con lápiz, y yo me enfrasqué poco a poco en la selva oscura del vicio, llena de fiebres y tentaciones, y perdí todo lo que llevaba, y todo lo que poseía, y aun quedé debiendo un dineral... con el pagaré correspondiente. Es decir, que me arruiné por completo, y que, sin la herencia y los grandes negocios que tuve en seguida, mi situación hubiera sido muy angustiosa y apurada.

Volvía yo, digo, a mi casa aquella noche, tan a deshora, yerto de frío, hambriento, con la vergüenza y el disgusto que puedes suponer, pensando, más que en mí mismo, en mi anciano y enfermo padre, a quien tendría que escribir pidiéndole dinero, lo cual no podría menos de causarle tanto dolor como asombro, pues me consideraba en muy buena y desahogada posición..., cuando, a poco de penetrar en mi calle por el extremo que da a la de Peligros, y al pasar por delante de una casa recién construida de la acera que yo llevaba, advertí que en el hueco de su cerrada puerta estaba de pie, inmóvil y rígida, como si fuese de palo, una mujer muy alta y fuerte, como de sesenta años de edad, cuyos

---

21 *demi-monde*: expresión francesa aplicada a las mujeres de vida licenciosa.
22 *maravedí*: moneda de poco valor en la época de este relato.
23 *enano*: juego de cartas.

3 El juego estaba prohibido entonces en España.

malignos y audaces ojos sin pestañas se clavaron en los míos como dos puñales, mientras que su desdentada boca me hizo una mueca horrible por vía de[24] sonrisa...

El propio terror o delirante miedo que se apoderó de mí instantáneamente diome no sé qué percepción maravillosa para distinguir de golpe, o sea en dos segundos que tardaría en pasar rozando con aquella repugnante visión, los pormenores más ligeros de su figura y de su traje... Voy a ver si coordino mis impresiones del modo y forma que las recibí, y tal y como se grabaron para siempre en mi cerebro a la mortecina luz del farol que alumbró con infernal relámpago tan fatídica escena...

Pero me excito demasiado, ¡aunque no sin motivo, como verás más adelante! Descuida, sin embargo, por el estado de mi razón... ¡Todavía no estoy loco!

Lo primero que me chocó en aquella que denominaré *mujer* fue su elevadísima talla y la anchura de sus descarnados hombros; luego, la redondez y fijeza de sus marchitos ojos de búho, la enormidad de su saliente nariz y la gran mella central de su dentadura, que convertía su boca en una especie de oscuro agujero, y, por último, su traje de mozuela del Avapiés, el pañolito nuevo de algodón que llevaba a la cabeza, atado debajo de la barba, y un diminuto abanico abierto que tenía en la mano, y con el cual se cubría, afectando pudor, el centro del talle.

¡Nada más ridículo y tremendo, nada más irrisorio y sarcástico que aquel abaniquillo en unas manos tan enormes, sirviendo como de cetro de debilidad a giganta tan fea, vieja y huesuda! Igual efecto producía el pañolejo de vistoso percal que adornaba su cara, comparado con aquella nariz de tajamar[25], aguileña, masculina, que me hizo creer un momento (no sin regocijo) si se trataría de un hombre disfrazado... Pero su cínica mirada y asquerosa sonrisa eran de vieja, de bruja, de hechicera, de Parca[4]..., ¡no sé de qué! ¡De

---

24 *por vía de*: a modo de.
25 *tajamar*: tablón grande y curvo que corta el agua cuando navega el barco.

4 Las Parcas eran divinidades del destino que hilaban, devanaban y cortaban el hilo de la vida de los hombres. Se las representaba con aspecto de vieja.

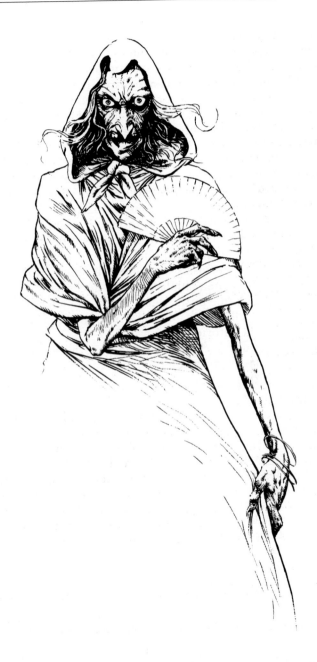

algo que justificaba plenamente la aversión y el susto que me habían causado toda mi vida las mujeres que andaban solas, de noche, por la calle!... ¡Dijérase que, desde la cuna, había presentido yo aquel encuentro! ¡Dijérase que lo temía por instinto, como cada ser animado teme y adivina, y ventea, y reconoce a su antagonista natural antes de haber recibido de él ninguna ofensa, antes de haberlo visto, sólo con sentir sus pisadas!

No eché a correr en cuanto vi a la esfinge de mi vida, menos por vergüenza o varonil decoro, que por temor a que mi propio miedo le revelase quién era yo, o le diese alas para seguirme, para acometerme, para... ¡no sé! ¡Los peligros que sueña el pánico no tienen forma ni nombre traducibles!

Mi casa estaba ya al extremo opuesto de la prolongada y angosta calle en que me hallaba yo solo, enteramente solo, con aquella misteriosa estantigua[26], a quien creía capaz de aniquilarme con una palabra... ¿Qué hacer para llegar hasta allí? ¡Ah! ¡Con qué ansia veía a lo lejos la anchurosa y muy alumbrada calle de la Montera, donde a todas horas hay agentes de la autoridad!

Decidí, pues, sacar fuerzas de flaqueza; disimular y ocultar aquel pavor miserable; no acelerar el paso, pero ganar siempre terreno, aun a costa de años de vida y de salud, y de esta manera, poco a poco, irme acercando a mi casa, procurando muy especialmente no caerme antes redondo al suelo.

Así caminaba...; así habría andado ya lo menos veinte pasos desde que dejé atrás la puerta en que estaba escondida la mujer del abanico, cuando de pronto se me ocurrió una idea horrible, espantosa, y, sin embargo, muy racional: ¡la idea de volver la cabeza a ver si me seguía mi enemiga!

«Una de dos...», pensé con la rapidez del rayo, «o mi terror tiene fundamento o es una locura; si tiene fundamento, esa mujer habrá echado detrás de mí, estará alcanzándome y no hay salvación para mí en el mundo... Y si es una locura, una aprensión, un pánico como cualquier otro,

---

26 *estantigua*: persona alta, mal vestida, de aspecto fantasmal.

me convenceré de ello en el presente caso y para todos los que me ocurran, al ver que esa pobre anciana se ha quedado en el hueco de aquella puerta preservándose del frío o esperando a que le abran; con lo cual yo podré seguir marchando hacia mi casa muy tranquilamente y me habré curado de una manía que tanto me abochorna.»

Formulando este razonamiento, hice un esfuerzo extraordinario y volví la cabeza.

¡Ah! ¡Gabriel! ¡Gabriel! ¡Qué desventura! ¡La mujer alta me había seguido con sordos pasos, estaba encima de mí, casi me tocaba con el abanico, casi asomaba su cabeza sobre mi hombro!

¿Por qué? ¿Para qué, Gabriel mío? ¿Era una ladrona? ¿Era efectivamente un hombre disfrazado? ¿Era una vieja irónica, que había comprendido que le tenía miedo? ¿Era el espectro de mi propia cobardía? ¿Era el fantasma burlón de las decepciones y deficiencias humanas?

¡Interminable sería decirte todas las cosas que pensé en un momento! El caso fue que di un grito y salí corriendo como un niño de cuatro años que juzga ver al coco y que no dejé de correr hasta que desemboqué en la calle de la Montera...

Una vez allí, se me quitó el miedo como por ensalmo. ¡Y eso que la calle de la Montera estaba también sola! Volví, pues, la cabeza hacia la de Jardines, que enfilaba en toda su longitud, y que estaba suficientemente alumbrada por sus tres faroles y por un reverbero[27] de la calle de Peligros, para que no se me pudiese oscurecer la *mujer alta* si por acaso había retrocedido en aquella dirección, y ¡vive el cielo que no la vi parada, ni andando, ni en manera alguna!

Con todo, guardéme muy bien de penetrar de nuevo en mi calle.

«¡Esa bribona», me dije, «se habrá metido en el hueco de otra puerta!... Pero mientras sigan alumbrando los faroles no se moverá sin que yo no lo note desde aquí...»

En eso vi aparecer a un sereno por la calle del Caballero de Gracia, y lo llamé sin desviarme de mi sitio: díjele, para

27 *reverbero*: especie de farol.

justificar la llamada y excitar su celo, que en la calle de Jardines había un hombre vestido de mujer; que entrase en dicha calle por la de Peligros, a la cual debía dirigirse por la de la Aduana; que yo permanecería quieto en aquella otra salida y que con tal medio no podría escapársenos el que a todas luces era un ladrón o un asesino.

Obedeció el sereno; tomó por la calle de la Aduana, y cuando yo vi avanzar su farol por el otro lado de la de Jardines, penetré también en ella resueltamente.

Pronto nos reunimos en su promedio, sin que ni el uno ni el otro hubiésemos encontrado a nadie, a pesar de haber registrado puerta a puerta.

– Se habrá metido en alguna casa... –dijo el sereno.

– ¡Eso será! –respondí yo abriendo la puerta de la mía, con firme resolución de mudarme a otra calle al día siguiente.

Pocos momentos después hallábame dentro de mi cuarto tercero, cuyo picaporte[28] llevaba también siempre conmigo, a fin de no molestar a mi buen criado José.

¡Sin embargo, éste me aguardaba aquella noche! ¡Mis desgracias del 15 al 16 de noviembre no habían concluido!

– ¿Qué ocurre? –le pregunté con extrañeza.

– Aquí ha estado –me respondió visiblemente conmovido–, esperando a usted desde las once hasta las dos y media, el señor comandante Falcón, y me ha dicho que, si venía usted a dormir a casa, no se desnudase, pues él volvería al amanecer...

Semejantes palabras me dejaron frío de dolor y espanto, cual si me hubieran notificado mi propia muerte... Sabedor yo de que mi amadísimo padre, residente en Jaén, padecía aquel invierno frecuentes y peligrosísimos ataques de su crónica enfermedad, había escrito a mis hermanos que en el caso de un repentino desenlace funesto telegrafiasen al comandante Falcón, el cual me daría la noticia de la manera más conveniente... ¡No me cabía, pues, duda de que mi padre había fallecido!

---

28 *picaporte*: llave con que se cierra o se abre el *picaporte* o cerradura de una puerta.

Sentéme en una butaca a esperar el día y a mi amigo, y con ellos la noticia oficial de tan grande infortunio, ¡y Dios sólo sabe cuánto padecí en aquellas dos horas de cruel expectativa, durante las cuales (y es lo que tiene relación con la presente historia) no podía separar en mi mente tres ideas distintas, y al parecer heterogéneas, que se empeñaban en formar monstruoso y tremendo grupo: mi pérdida al juego, el encuentro con la *mujer alta* y la muerte de mi honrado padre!

A las seis en punto penetró en mi despacho el comandante Falcón, y me miró en silencio...

Arrojéme en sus brazos llorando desconsoladamente, y él exclamó acariciándome:

— ¡Llora, sí, hombre, llora! ¡Y ojalá ese dolor pudiera sentirse muchas veces!

IV

— Mi amigo Telesforo —continuó Gabriel después que hubo apurado otro vaso de vino— descansó también un momento al llegar a este punto, y luego prosiguió en los términos siguientes:

— Si mi historia terminara aquí, acaso no encontrarías nada de extraordinario ni sobrenatural en ella, y podrías decirme lo mismo que por entonces me dijeron dos hombres de mucho juicio a quienes se la conté: que cada persona de viva y ardiente imaginación tiene su terror pánico: que el mío eran las trasnochadoras solitarias, y que la vieja de la calle de Jardines no pasaría de ser una pobre sin casa ni hogar, que iba a pedirme limosna cuando yo lancé el grito y salí corriendo, o bien una repugnante Celestina de aquel barrio, no muy católico en materia de amores...

También quise creerlo yo así; también lo llegué a creer al cabo de algunos meses; no obstante lo cual hubiera dado entonces años de vida por la seguridad de no volver a encontrarme a la *mujer alta*. ¡En cambio, hoy daría toda mi sangre por encontrármela de nuevo!

— ¿Para qué?

— ¡Para matarla en el acto!

– No te comprendo...

– Me comprenderás si te digo que volví a tropezar con ella hace tres semanas, pocas horas antes de recibir la nueva fatal de la muerte de mi pobre Joaquina...

– Cuéntame..., cuéntame...

– Poco más tengo que decirte. Eran las cinco de la madrugada; volvía yo de pasar la última noche, no diré de amor, sino de amarguísimos lloros y desgarradora contienda, con mi antigua querida la viuda de T..., ¡de quien érame ya preciso separarme por haberse publicado mi casamiento con la otra infeliz a quien estaban enterrando en Santa Águeda a aquella misma hora!

Todavía no era día completo; pero ya clareaba el alba en las calles enfiladas hacia Oriente. Acababan de apagar los faroles, y habíanse retirado los serenos, cuando, al ir a cortar la calle del Prado, o sea a pasar de una a otra sección de la calle del Lobo, cruzó por delante de mí, como viniendo de la plaza de las Cortes y dirigiéndose a la de Santa Ana, la espantosa mujer de la calle de Jardines.

No me miró, y creí que no me había visto... Llevaba la misma vestimenta y el mismo abanico que hace tres años... ¡Mi azoramiento y cobardía fueron mayores que nunca! Corté rapidísimamente la calle del Prado, luego que ella pasó, bien que sin quitarle ojo, para asegurarme que no volvía la cabeza, y cuando hube penetrado en la otra sección de la calle del Lobo, respiré como si acabara de pasar a nado una impetuosa corriente, y apresuré de nuevo mi marcha hacia acá con más regocijo que miedo, pues consideraba vencida y anulada a la odiosa bruja, en el mero hecho de haber estado tan próximo de ella sin que me viese...

De pronto, y cerca ya de esta mi casa, acometióme como un vértigo de terror pensando en si la muy taimada vieja me habría visto y conocido; en si se habría hecho la desentendida para dejarme penetrar en la todavía oscura calle del Lobo y asaltarme allí impunemente; en si vendría tras de mí; en si ya la tendría encima...

Vuélvome en esto..., y ¡allí estaba! ¡Allí, a mi espalda, casi tocándome con sus ropas, mirándome con sus viles ojuelos, mostrándome la asquerosa mella de su dentadura, aba-

nicándose irrisoriamente, como si se burlara de mi pueril espanto!...

Pasé del terror a la más insensata ira, a la furia salvaje de la desesperación, y arrojéme sobre el corpulento vejestorio; tirélo contra la pared, echándole una mano a la garganta, y con la otra, ¡qué asco!, púseme a palpar su cara, su seno, el lío ruin de sus cabellos sucios, hasta que me convencí juntamente de que era criatura humana y mujer.

Ella había lanzado entre tanto un aullido ronco y agudo al propio tiempo que me pareció falso, o fingido, como expresión hipócrita de un dolor y de un miedo que no sentía, y luego exclamó, haciendo como que lloraba, pero sin llorar, antes bien mirándome con ojos de hiena:

– ¿Por qué la ha tomado usted conmigo?

Esta frase aumentó mi pavor y debilitó mi cólera.

– ¡Luego usted recuerda –grité– haberme visto en otra parte!

– ¡Ya lo creo, alma mía! –respondió sardónicamente[29]–. ¡La noche de San Eugenio, en la calle de Jardines, hace tres años!...

Sentí frío dentro de los tuétanos.

– Pero, ¿quién es usted? –le dije sin soltarla–. ¿Por qué corre detrás de mí? ¿Qué tiene usted que ver conmigo?

– Yo soy una débil mujer... –contestó diabólicamente–. ¡Usted me odia y me teme sin motivo!... Y si no, dígame usted, señor caballero: ¿por qué se asustó de aquel modo la primera vez que me vio?

– ¡Porque la aborrezco a usted desde que nací! ¡Porque es usted el demonio de mi vida!

– ¿De modo que usted me conocía hace mucho tiempo? ¡Pues mira, hijo, yo también a ti!

– ¡Usted me conocía! ¿Desde cuándo?

– ¡Desde antes que nacieras! Y cuando te vi pasar junto a mí hace tres años, me dije a mí misma: «¡Éste es!»

– Pero ¿quién soy yo para usted? ¿Quién es usted para mí?

---

29 *sardónicamente*: con risa maligna o sarcástica.

— ¡El demonio! —respondió la vieja escupiéndome en mitad de la cara, librándose de mis manos y echando a correr velocísimamente con las faldas levantadas hasta más arriba de las rodillas y sin que sus pies moviesen ruido alguno al tocar la tierra...

¡Locura intentar alcanzarla!... Además, por la Carrera de San Jerónimo pasaba ya alguna gente, y por la calle del Prado también. Era completamente de día. La *mujer alta* siguió corriendo, o volando, hasta la calle de las Huertas, alumbrada ya por el sol; paróse allí a mirarme; amenazóme una y otra vez esgrimiendo el abaniquillo cerrado, y desapareció detrás de una esquina...

¡Espera otro poco, Gabriel! ¡No falles[30] todavía este pleito, en que se juegan mi alma y mi vida! ¡Óyeme dos minutos más!

Cuando entré en mi casa me encontré con el coronel Falcón, que acababa de llegar para decirme que mi Joaquina, mi novia, toda mi esperanza de dicha y ventura sobre la tierra, ¡había muerto el día anterior en Santa Águeda! El desgraciado padre se lo había telegrafiado a Falcón para que me lo dijese... ¡a mí, que debí haberlo adivinado una hora antes, al encontrarme al demonio de mi vida! ¿Comprendes ahora que necesito matar a la enemiga innata de mi felicidad, a esa inmunda vieja, que es como el sarcasmo[31] viviente de mi destino?

Pero, ¿qué digo matar? ¿Es mujer? ¿Es criatura humana? ¿Por qué la he presentido desde que nací? ¿Por qué me reconoció al verme? ¿Por qué no se me presenta sino cuando me ha sucedido alguna gran desdicha? ¿Es Satanás? ¿Es la Muerte? ¿Es la Vida? ¿Es el Anticristo[5]? ¿Quién es? ¿Qué es?...

---

30 *falles*: decidas, sentencies.
31 *sarcasmo*: burla cruel.

5 Encarnación del Mal que, según las profecías del *Apocalipsis* de San Juan, ha de venir poco antes del fin del mundo para sembrar la confusión entre los cristianos, aunque finalmente será vencido por Cristo.

V

– Os hago gracia mis queridos amigos –continuó Gabriel–, de[32] las reflexiones y argumentos que emplearía yo para ver de tranquilizar a Telesforo; pues son los mismos, mismísimos, que estáis vosotros preparando ahora para demostrarme que en mi historia no pasa nada sobrenatural o sobrehumano... Vosotros diréis más: vosotros diréis que mi amigo estaba medio loco; que lo estuvo siempre; que cuando menos, padecía la enfermedad moral llamada por unos *terror pánico* y por otros *delirio emotivo*; que, aun siendo verdad todo lo que refería acerca de la mujer alta, habría que atribuirlo a *coincidencias* casuales de fechas y accidentes[33]; y, en fin, que aquella pobre vieja podía también estar loca, o ser una ratera o una mendiga, o una zurcidora de voluntades[34], como se dijo a sí propio el héroe de mi cuento en un intervalo de lucidez y buen sentido...

– ¡Admirable suposición! –exclamaron los camaradas de Gabriel en variedad de formas–. ¡Eso mismo íbamos a contestarte nosotros!

– Pues escuchad todavía unos momentos y veréis que yo me equivoqué entonces, como vosotros os equivocáis ahora. ¡El que desgraciadamente no se equivocó nunca fue Telesforo! ¡Ah! ¡Es mucho más fácil pronunciar la palabra *locura* que hallar la explicación a ciertas cosas que pasan en la Tierra!

– ¡Habla! ¡Habla!

– Voy allá; y esta vez, por ser ya la última, reanudaré el hilo de mi historia sin beberme antes un vaso de vino.

VI

A los pocos días de aquella conversación con Telesforo, fui destinado a la provincia de Albacete en mi calidad de

---

32 *hacer gracia de*: ahorrar, evitar.
33 *accidentes*: circunstancias.
34 *zurcidora de voluntades*: alcahueta.

ingeniero de Montes; y no habían transcurrido muchas semanas cuando supe, por un contratista de obras públicas,
que mi infeliz amigo había sido atacado de una horrorosa
ictericia; que estaba enteramente verde, postrado en un sillón, sin trabajar ni querer ver a nadie, llorando de día y de
noche con inconsolable amargura, y que los médicos no tenían ya esperanza alguna de salvarlo. Comprendí entonces
por qué no contestaba a mis cartas, y hube de reducirme a
pedir noticias suyas al coronel Falcón, que cada vez me las
daba más desfavorables y tristes...

Después de cinco meses de ausencia, regresé a Madrid
el mismo día que llegó el parte telegráfico de la batalla de
Tetuán[6]... Me acuerdo como de lo que hice ayer. Aquella
noche compré la indispensable *Correspondencia de España*, y
lo primero que leí en ella fue la noticia de que Telesforo
había fallecido y la invitación a su entierro para la mañana
siguiente.

Comprenderéis que no falté a la triste ceremonia. Al
llegar al cementerio de San Luis, adonde fui en uno de los
coches más próximos al carro fúnebre, llamó mi atención
una mujer del pueblo, vieja, y muy alta, que se reía impíamente al ver bajar el féretro, y que luego se colocó en ademán de triunfo delante de los enterradores, señalándoles
con un abanico muy pequeño la galería que debían seguir
para llegar a la abierta y ansiosa tumba...

A la primera ojeada reconocí, con asombro y pavura[35],
que era la implacable enemiga de Telesforo, tal y como él
me la había retratado, con su enorme nariz, con sus infernales ojos, con su asquerosa mella, con su pañolejo de percal
y con aquel diminuto abanico, que parecía en sus manos el
cetro del impudor y de la mofa...

Instantáneamente reparó en que yo la miraba, y fijó en
mí la vista de un modo particular como reconociéndome,

---

35 *pavura*: pavor, terror.

6 Batalla en la que el general español O'Donnell venció a los marroquíes el 17
de febrero de 1860. Alarcón asistió a ella, y la describe en su *Diario de un
testigo de la guerra de África*.

como dándose cuenta de que yo la reconocía, como enterada de que el difunto me había contado las escenas de la calle de Jardines y de la del Lobo, como desafiándome, como declarándome heredero del odio que había profesado a mi infortunado amigo...

Confieso que entonces mi miedo fue superior a la maravilla que me causaban aquellas nuevas *coincidencias* o *casualidades.* Veía patente que alguna relación sobrenatural anterior a la vida terrena había existido entre la misteriosa vieja y Telesforo; pero en tal momento sólo me preocupaba mi propia vida, mi propia alma, mi propia ventura, que correrían peligro si llegaba a heredar semejante infortunio...

La *mujer alta* se echó a reír, y me señaló ignominiosamente con el abanico, cual si hubiese leído en mi pensamiento y denunciase al público mi cobardía... Yo tuve que apoyarme en el brazo de un amigo para no caer al suelo, y entonces ella hizo un ademán compasivo o desdeñoso, giró sobre los talones y penetró en el campo santo con la cabeza vuelta hacia mí, abanicándose y saludándome a un propio tiempo, y contoneándose entre los muertos con no sé qué infernal coquetería, hasta que, por último, desapareció para siempre en aquel laberinto de patios y columnatas llenos de tumbas...

Y digo «para siempre», porque han pasado quince años y no he vuelto a verla... Si era criatura humana, ya debe de haber muerto, y si no lo era, tengo la seguridad de que me ha desdeñado...

¡Conque vamos a cuentas! ¡Decidme vuetra opinión acerca de tan curiosos hechos! ¿Los consideráis todavía *naturales*?

. . .   .

Ocioso[36] fuera que yo, el autor del cuento o historia que acabáis de leer, estampase aquí las contestaciones que dieron a Gabriel sus compañeros y amigos, puesto que, al fin y a la postre, cada lector habrá de juzgar el caso según sus propias sensaciones y creencias...

---

36 *ocioso*: inútil, innecesario.

Prefiero, por consiguiente, hacer punto final en este párrafo, no sin dirigir el más cariñoso y expresivo saludo a cinco de los seis expedicionarios que pasaron juntos aquel inolvidable día en las frondosas cumbres del Guadarrama.

La comendadora

HISTORIA DE UNA MUJER QUE NO TUVO AMORES

I

*H*ará cosa de un siglo que cierta mañana de marzo, a eso de las once, el sol, tan alegre y amoroso en aquel tiempo como hoy que principia la primavera de 1868, y como lo verán nuestros biznietos dentro de otro siglo (si para entonces no se ha acabado el mundo), entraba por los balcones de la sala principal de una gran casa solariega[1], sita en la Carrera de Darro[1], de Granada, bañando de esplendorosa luz y grato calor aquel vasto y señorial aposento, animando las ascéticas pinturas[2] que cubrían sus paredes, rejuveneciendo antiguos muebles y descoloridos tapices, y haciendo las veces del ya suprimido brasero para tres personas, a la sazón[3] vivas e importantes, de quienes apenas queda hoy rastro ni memoria...

Sentada cerca de un balcón estaba una venerable anciana, cuyo noble y enérgico rostro, que habría sido muy bello, reflejaba la más austera virtud y un orgullo desmesurado. Seguramente aquella boca no había sonreído nunca, y los duros pliegues de sus labios provenían del hábito de mandar. Su ya trémula cabeza sólo podía haberse inclinado ante los altares. Sus ojos parecían armados del rayo de la excomunión[4]. A poco que se contemplara a aquella mujer, conocíase que dondequiera que ella imperase no habría más

---

1 *casa solariega*: la más antigua y noble de una familia aristocrática.
2 *ascéticas pinturas*: pinturas de tema religioso.
3 *a la sazón*: entonces.
4 *excomunión*: declaración mediante la que la Iglesia expulsa de su seno a los que no siguen su doctrina.

1 Avenida paralela al río Darro, al pie de la Alhambra.

arbitrio[5] que matarla u obedecerla. Y, sin embargo, su gesto no expresaba crueldad ni mala intención, sino estrechez de principios y una intolerancia de conducta incapaz de transigir en nada ni por nadie.

Esta señora vestía saya[6] y jubón[7] de alepín[8] negro de la reina, y cubría la escasez de sus canas con una toquilla de amarillentos encajes flamencos[9].

Sobre la falda tenía abierto un libro de oraciones, pero sus ojos habían dejado de leer, para fijarse en un niño de seis a siete años, que jugaba y hablaba solo, revolcándose sobre la alfombra en uno de los cuadrilongos[10] de la luz de sol que proyectaban los balcones en el suelo de la anchurosa estancia.

Este niño era endeble, pálido, rubio y enfermizo, como los hijos de Felipe IV pintados por Velázquez[2]. En su abultada cabeza se marcaban con vigor la red de sus cárdenas venas y unos grandes ojos azules, muy protuberantes. Como todos los raquíticos aquel muchacho revelaba extraordinaria viveza de imaginación y cierta iracundia provocativa, siempre en acecho de contradicciones que arrostrar[11].

Vestía, como un hombrecito, medias de seda negra, zapato con hebilla, calzón de raso azul, chupa[12] de lo mismo, muy bordada de otros colores, y luenga casaca de terciopelo negro.

A la sazón se divertía en arrancar las hojas a un hermoso libro de heráldica[13] y en hacerlas menudos pedazos con sus descarnados dedos, acompañando la operación de una charla incoherente, agria, insoportable, cuyo espíritu dominante

---

5 *arbitrio*: alternativa.
6 *saya*: falda.
7 *jubón*: especie de blusa.
8 *alepín*: tela muy fina de lana.
9 *flamencos*: de Flandes, hoy Bélgica, cuyos bordados eran apreciados desde muy antiguo.
10 *cuadrilongos*: rectángulos.
11 *arrostrar*: afrontar.
12 *chupa*: especie de chaleco.
13 *heráldica*: estudio de los escudos de armas nobiliarios.

2 Velázquez pintó en varias ocasiones al príncipe Baltasar Carlos y a las infantas María Teresa y Margarita. El más conocido de estos retratos es *Las meninas*.

era decir: «Mañana voy a hacer esto. Hoy no voy a hacer lo otro. Yo quiero tal cosa. Yo no quiero tal otra...», como si su objeto fuese desafiar la intolerancia y las censuras de la terrible anciana.

¡También infundía terror el pobre niño!

Finalmente, en un ángulo del salón (desde donde podía ver el cielo, las copas de algunos árboles y los rojizos torreones de la Alhambra, pero donde no podía ser vista sino por las aves que revoloteaban sobre el cauce del río Darro), estaba sentada en un sitial, inmóvil, con la mirada perdida en el infinito azul de la atmósfera y pasando lentamente con los dedos las cuentas de ámbar de un larguísimo rosario, una monja, o, por mejor decir, una comendadora de Santiago[3], como de treinta años de edad, vestida con las ropas un poco seglares que estas señoras suelen usar en sus celdas.

Consiste entonces su traje en zapatos abotinados de cordobán negro, basquiña[14] y jubón de anascote[15], negros también, y un gran pañuelo blanco, de hilo, sujeto con alfileres sobre los hombros, no en forma triangular, como en el siglo[16], sino reuniendo por delante los dos picos de un mismo lado y dejando colgar los otros dos por la espalda.

Quedaba, pues, descubierta la parte inferior del jubón de la religiosa, sobre cuyo lado izquierdo campeaba la cruz roja del Santo Apóstol[4]. No llevaba el manto blanco ni la toca, y, gracias a esto último, lucía su negro y abundantísimo pelo, peinado todo hacia arriba y reunido atrás en aquella especie de lazo que las campesinas andaluzas llaman *castaña*.

No obstante las desventajas de tal vestimenta, aquella

---

14 *basquiña*: falda negra.
15 *anascote*: tela delgada de lana.
16 *siglo*: el mundo de los laicos, los no eclesiásticos.

3 Rama femenina de la Orden de Santiago, que acogía jóvenes de familias nobles, y con unas normas menos estrictas que las de otras órdenes. Alarcón debe de inspirarse en el convento de Santiago de Granada, fundado en 1501 por los Reyes Católicos.
4 La cruz de Santiago, emblema de la Orden del mismo nombre.

mujer resultaba todavía hermosísima, o, por mejor decir, su propia belleza tenía mucho que agradecer a semejante desaliño, que dejaba campear más libremente sus naturales gracias.

La comendadora era alta, recia, esbelta y armónica, como aquella nobilísima cariátide[17] que se admira a la entrada de las galerías de escultura del Vaticano[5]. El ropaje de lana, pegado a su cuerpo, revelaba, más que cubría, la traza clásica y el correcto primor de sus espléndidas proporciones.

Sus manos, de blancura mate, afiladas, hoyosas, transparentes, se destacaban de un modo hechicero sobre la basquiña negra, recordando aquellas manos de mármol antiguo, labradas por el cincel griego, que se han encontrado en Pompeya antes o después que las estatuas a que pertenecían.

Para contemplar esta soberana figura, imaginaos un rostro moreno, algo descarnado (o más bien afinado por el buril del sentimiento), de forma oval como el de la Magdalena de Ticiano[6] y bañado de una palidez profunda, que casi amarilleaba, y que hacían mucho más interesante (pues alejaban toda idea de insensibilidad) dos ojeras hondas, lívidas, llenas de misteriosas tristezas, especie de crepúsculo de los enlutados soles de sus ojos.

Aquellos ojos, casi siempre clavados en tierra, sólo se alzaban para mirar el cielo, como si no osaran fijarse en las cosas del mundo. Cuando los bajaba parecía que sus luengas pestañas eran las sombras de la noche eterna, cayendo sobre una vida malograda y sin objeto; cuando los alzaba podía creerse que el corazón se escapaba por ellos en una luminosa nube, para ir a fundirse en el seno del Criador; pero si por casualidad se posaban en cualquier criatura o cosa terrestre,

---

17 *cariátide*: estatua de mujer que servía de columna en los templos griegos.

5 Durante su viaje por Italia, Alarcón tuvo ocasión de admirar esta estatua, que describe así: «Saludemos a esta soberbia cariátide, hermosa como una Juno, magníficamente vestida, y que parece el símbolo de la belleza permanente»; *De Madrid a Nápoles*, en *Obras Completas*, Madrid, Fax, 1943, p. 1466.

6 Aunque Ticiano pintó varios cuadros con este tema, Alarcón debe de referirse a la *Magdalena penitente* del Museo de los Uffizi, en Florencia, que el autor visitó durante su viaje a Italia.

entonces aquellos negrísimos ojos ardían, temblando y vagando despavoridos, cual si los inflamase la calentura o fueran a inundarse de llanto.

Imaginaos también una frente despejada y altiva, unas espesas cejas de sobrio y valiente rasgo, la más correcta y artística nariz y una boca divina, cariñosa, incitante, y formaréis idea de aquella encantadora mujer, que reunía a un mismo tiempo todos los hechizos de la belleza gentil[18] y toda la mística hermosura de las heroínas cristianas.

II

¿Qué familia era ésta que acabamos de resucitar a la luz de aquel sol que se puso hace cien años?

Digámoslo rápidamente.

La señora mayor era la condesa viuda de Santos, la cual, en su matrimonio con el séptimo conde de este título, tuvo dos hijos —un varón y una hembra—, que se quedaron huérfanos de padre en muy temprana edad.

Pero tomemos las cosas de más lejos.

La casa de Santos había alcanzado gran riqueza y poderío en vida del suegro de la condesa; mas como aquel señor tuvo un hijo, y no existían ramas colaterales, comenzó a temer que pudiera extinguirse su raza, y dispuso en su testamento (al fundar nuevos vínculos con las mercedes que obtuvo de Felipe V durante la guerra de Sucesión[7]): «Si mi heredero llegare a tener más de un hijo, dividirá el caudal[19] entre los dos mayores, a fin de que mi nombre se propague dignamente en dos ramas con la sangre de mis venas.»

Ahora bien: aquella cláusula hubiera tenido que cumplirse en sus nietos, o sea en los dos hijos de la severa an-

---

18 *gentil*: pagana, greco-latina.
19 *caudal*: bienes, propiedades.

7 La Guerra de Sucesión se originó con la muerte sin sucesión del último Austria, Carlos II (1700). Se enfrentaron el candidato francés, luego Felipe V, y el austríaco, el archiduque Carlos. Con el triunfo del primero en 1713 se introdujo en España la dinastía borbónica.

ciana que acabamos de conocer... Pero fue el caso que ésta,
creyendo que el lustre de un apellido se conserva mucho
mejor en una sola y potente rama que en dos vástagos[20]
desmedrados[21], dispuso por sí y ante sí, a fin de conciliar
sus ideas con la voluntad del fundador, que su hija renun-
ciase, ya que no a la vida, a todos los bienes de la tierra,
tomando el hábito de religiosa, por cuyo medio la casa entera
de Santos quedaría siendo exclusivo patrimonio de su otro
hijo, quien, por haber nacido primero y ser varón, constituía
el orgullo y la delicia de su aristocrática madre.

Fue, pues, encerrada en el convento de comendadoras
de Santiago, cuando apenas tenía ocho años de edad, su
infortunada hija, la segundona del conde de Santos, llamada
entonces doña Isabel, para que se aclimatase desde luego[22]
en la vida monacal, que era su infalible destino.

Allí creció aquella niña, sin respirar más aire que el del
claustro, ni ser consultada jamás acerca de sus ideas, hasta
que, llegada a la estación de la vida en que todos los seres
racionales trazan sobre el campo de la fantasía la senda de
su porvenir, tomó el velo de esposa de Jesucristo, con la fría
mansedumbre de quien no imagina siquiera el derecho ni
la posibilidad de intervenir en sus propias acciones. Decimos
más: como doña Isabel no podía comprender en aquel tiempo
toda la significación de los votos[23] que acababa de pronunciar (tan ignorante estaba todavía de lo que es el mundo y
de lo que encierra el corazón humano), y, en cambio, podía
discernir perfectamente (pues también ella pecaba de linajuda[24]) las grandes ventajas que su profesión reportaría
al esplendor de su nombre, resultó que se hizo monja con
cierta ufanía[25], ya que no con franco y declarado regocijo.

Pero corrieron los años, y sor Isabel, que se había criado
mustia, y endeble, y que al tiempo de su profesión era, si

---

20 *vástagos*: hijos, descendientes.
21 *desmedrados*: esmirriados, poco desarrollados.
22 *desde luego*: inmediatamente.
23 *votos*: compromiso de guardar pobreza, castidad y obediencia durante toda
la vida.
24 *linajuda*: de familia noble.
25 *ufanía*: satisfacción, orgullo.

no una niña, una mujer tardía o retrasada, desplegó de pronto la lujosa naturaleza y peregrina hermosura que ya hemos admirado, y cuyos hechizos no valían nada en comparación de la espléndida primavera que floreció simultáneamente en su corazón y en su alma. Desde aquel día la joven comendadora fue el asombro y el ídolo de la comunidad y de cuantas personas entraban en aquel convento cuya regla es muy lata[26], como la de todos los de su Orden. Quién comparaba a sor Isabel con Rebeca, quién con Sara, quién con Ruth, quién con Judith[8]... El que afinaba el órgano la llamaba Santa Cecilia; el despensero, Santa Paula; el sacristán, Santa Mónica; es decir, que le atribuían juntamente mucho parecido con santas solteras, viudas y casadas...

Sor Isabel registró más de una vez la Biblia y el *Flos Sanctorum*[9] para leer la historia de aquellas heroínas, de aquellas reinas, de aquellas esposas, de aquellas madres de familia con quienes se veía comparada, y, por resultas de tales estudios, el engreimiento, la ambición, la curiosidad de mayor vida germinaron en su imaginación con tanto ímpetu, que su director espiritual se vio precisado a decirle muy severamente que «el rumbo que tomaban sus ideas y sus afectos era el más a propósito para ir a parar en la condenación eterna.»

La reacción que se operó en sor Isabel al escuchar estas palabras fue instantánea, absoluta, definitiva. Desde aquel día nadie vio en la joven más que una altiva ricahembra, infatuada[27] de su estirpe, y una virgen del Señor, devota, mística, fervorosa hasta el éxtasis y el delirio, la cual incurría en tales exageraciones de mortificación y entraba en escrúpulos tan sutiles, que la superiora y su propia madre tuvieron que amonestarla muchas veces, y aun el mismo confesor se veía obligado a tranquilizarla, además de no tener de qué absolverla.

---

26 *lata*: laxa, permisiva.
27 *infatuada*: orgullosa.

8 Personajes del Antiguo Testamento. Rebeca fue la esposa de Isaac, y Judith una hermosa mujer que, para salvar a su pueblo, sedujo a Holofernes y lo mató mientras dormía.
9 Libro devoto, en el que se relataban la vida y milagros de los santos.

¿Qué era, en tanto, del corazón y del alma de la comendadora, de aquel corazón y de aquella alma cuya súbita eflorescencia fue tan exuberante?

No se sabe a punto fijo.

Sólo consta que, pasados cinco años (durante los cuales su hermano se casó, y tuvo un hijo, y enviudó), sor Isabel, más hermosa que nunca, pero lánguida como una azucena que se agosta, fue trasladada del convento a su casa, por consejo de los médicos y merced al gran valimiento[28] de su madre, a fin de que respirase allí los salutíferos aires de la Carrera de Darro[10], único remedio que se encontró para la misteriosa dolencia que aniquilaba su vida. A esta dolencia le llamaron unos *excesivo celo religioso*, y otros *melancolía negra*[11]: lo cierto es que no podían clasificarla entre las enfermedades físicas sino por sus resultados, que eran una extrema languidez y una continua propensión al llanto.

La traslación a su casa le volvió la salud y las fuerzas, ya que no la alegría; pero como por entonces ocurriera la muerte de su hermano Alfonso, de quien sólo quedó un niño de tres años, alcanzóse que la comendadora continuase indefinidamente con su casa por clausura, a fin de que acompañara a su anciana madre y cuidase a su tierno sobrino, único y universal heredero del condado de Santos.

Con lo cual sabemos ya también quién era el rapazuelo que estaba rompiendo el libro de heráldica sobre la alfombra, y sólo nos resta decir, aunque esto se adivinará fácilmente, que aquel niño era el alma, la vida, el amor y el orgullo, a la par que el feroz tirano de su abuela y de su tía, las cuales veían en él, no sólo una persona determinada, sino la única esperanza de propagación de su estirpe.

---

28 *valimiento*: influencia.

10 Las propiedades curativas de estos aires eran famosas en la época: «Este paseo suele ser concurrido por las personas débiles de salud, porque sus aires aromáticos, recargados con los efluvios de una vegetación pura y lozana, comunican a la sangre cualidades vitales»; véase P. Madoz, *Diccionario geográfico-estadístico-histórico de España*, Madrid, 1847.

11 En el siglo pasado se creía que la melancolía era causada por un exceso de bilis negra.

III

Volvamos ahora a contemplar a nuestros tres personajes, ya que los conocemos interior y exteriormente.

El niño se levantó de pronto, tiró los restos del libro, y se marchó de la sala, cantando a voces, sin duda en busca de otro objeto que romper, y las dos señoras siguieron sentadas donde mismo las dejamos hace poco; sólo que la anciana volvió a su interrumpida lectura, y la comendadora dejó de pasar las cuentas del rosario.

¿En qué pensaba la comendadora?

¡Quién sabe!...

La primavera había principiado...

Algunos canarios y ruiseñores, enjaulados y colgados a la parte afuera de los balcones de aquel aposento, mantenían no sé qué diálogos con los pajarillos de ambos sexos que moraban libres y dichosos en las arboledas de la Alhambra, a los cuales referían tal vez aquellos míseros cautivos tristezas y aburrimientos propios de toda vida sin amor...

Las macetas de alelíes, mahonesas[29] y jacintos que adornaban los balcones, empezaban a florecer, en señal de que la Naturaleza volvía a sentirse madre...

El aire, embalsamado y tibio, parecía convidar a los enamorados de las ciudades con la afable soledad de las campiñas o con el dulce misterio de los bosques, donde podrían mirarse libremente y referirse sus más ocultos pensamientos...

Sonaban, por lo demás, en la calle los pasos de gentes que iban y venían a merced de los varios afanes de la existencia; gentes que siempre son consideradas venturosas y muy dignas de envidia por aquellos que las vislumbran desde la picota[30] de sus propios dolores...

A veces se oía alguna copla de fandango, con que aludía a sus domingueras aventuras tal o cual fámula[31] de la ve-

---

29 *mahonesas*: planta de flores pequeñas y moradas.
30 *picota*: columna en la que se ataba a los delincuentes para someterlos al escarnio de la gente; usado aquí metafóricamente.
31 *fámula*: criada.

cindad, o con que el aprendiz del próximo taller mataba el tiempo, mientras llegaba la infalible *noche* y con ella la concertada *cita*...

Percibíanse, además, en filosófico concierto, los perpetuos arrullos del agua del río, el confuso rumor de la capital, el compasado golpe de una péndola que en el salón había, y el remoto clamor de unas campanas que lo mismo podían estar tocando a fiesta que a entierro, a bautizo de recién nacido que a profesión de otra comendadora de Santiago...

Todo esto, y aquel sol que volvía en busca de nuestra aterida zona, y aquel pedazo de firmamento azul en que se perdían la vista y el espíritu, y aquellas torres de la Alhambra, llenas de románticos y voluptuosos recuerdos, y los árboles que florecían a su pie como cuando Granada era sarracena[32]...; todo, todo debía de pesar de un modo horrible sobre el alma de aquella mujer de treinta años, cuya vida anterior había sido igual a su vida presente, y cuya existencia futura no podía ser ya más de una lenta y continua repetición de tan melancólicos instantes...

. . .   .

La vuelta del niño a la sala sacó a la comendadora de su abstracción e hizo interrumpir otra vez a la condesa su lectura.

— ¡Abuela! –gritó el rapaz con destemplado acento–. El italiano que está componiendo el escudo de piedra de la escalera acaba de decirle una cosa muy graciosa al viejo de Madrid que pinta los techos. ¡Yo la he oído, sin que ellos me vieran a mí, y como yo entiendo ya el español chapurrado que habla el escultor con el pintor, me he enterado perfectamente! ¡Si supieras lo que le ha dicho!

— Carlos... –respondió la anciana con la blandura equívoca de la cobardía–: os tengo recomendado que no os acerquéis nunca a esa clase de gentes. ¡Acordaos de que sois el conde de Santos!

— ¡Pues quiero acercarme! –replicó el niño–. ¡A mí me

---

32 *sarracena*: musulmana.

gustan mucho los pintores y los escultores, y ahora mismo
me voy otra vez con ellos!...

— Carlos... –murmuró dulcemente la comendadora–. Estáis hablando con la madre de vuestro padre. Respetadla
como él la respetaba y yo la respeto...

El niño se echó a reír, y prosiguió:

— Pues verás, tía, lo que decía el escultor... ¡Porque era
de ti de quien hablaba!...

— ¿De mí?

— ¡Callad, Carlos! –exclamó la anciana severamente.

El niño siguió en el mismo tono y con el mismo diabólico
gesto:

— El escultor le decía al pintor: «Compañero, ¡qué hermosa debe de estar desnuda la comendadora! ¡Será una estatua griega!». ¿Qué es una estatua griega, tía Isabel?

Sor Isabel se puso lívida, clavó los ojos en el suelo y empezó a rezar.

La condesa se levantó, cogió al conde por un brazo y le dijo con reprimida cólera:

– ¡Los niños no oyen esas cosas ni las dicen! Ahora mismo se irá el escultor a la calle. En cuanto a vos, ya os dirá el padre capellán el pecado que habéis cometido y os impondrá la debida penitencia...

– ¿A mí? –dijo Carlos–. ¿El señor cura? ¡Soy yo más valiente que él y lo echaré a la calle, mientras que el escultor se quedará en casa! ¡Tía! –continuó el niño, dirigiéndose a la comendadora–, yo quiero verte desnuda...

– ¡Jesús! –gritó la abuela, tapándose el rostro con las manos.

Sor Isabel no pestañeó siquiera.

– ¡Sí, señora! ¡Quiero ver desnuda a mi tía! –repitió el niño, encarándose con la anciana.

– ¡Insolente! –gritó ésta, levantando la mano sobre su nieto.

Ante aquel ademán, el niño se puso encarnado como la grana, y, pateando de furor, en actitud de arremeter contra la condesa, exclamó nuevamente con sordo acento:

– ¡He dicho que quiero ver desnuda a mi tía! ¡Pégame, si eres capaz!

La comendadora se levantó con aire desdeñoso, y se dirigió hacia la puerta, sin hacer caso alguno del niño.

Carlos dio un salto, se interpuso en su camino y repitió su tremenda frase con voz y gesto de verdadera locura.

Sor Isabel continuó marchando.

El niño forcejeó por detenerla, no pudo lograrlo y cayó al suelo, presa de violentísima convulsión.

La abuela dio un grito de muerte, que hizo volver la cabeza a la religiosa.

Ésta se detuvo espantada al ver a su sobrino en tierra, con los ojos en blanco, echando espumarajos por la boca y tartamudeando ferozmente:

– ¡Ver desnuda a mi tía!...

– ¡Satanás!... –balbuceó la comendadora, mirando de hito en hito a su madre.

El niño se revolcó en el suelo como una serpiente, púsose morado, volvió a llamar a su tía y luego quedó inmóvil, agarrotado, sin respiración.

– ¡El heredero de los Santos se muere! –gritó la abuela con indescriptible terror–. ¡Agua! ¡Agua! ¡Un médico!

Los criados acudieron, y trajeron agua y vinagre.

La condesa roció la cara del niño con una y otra cosa; diole muchos besos; llamóle *ángel*; lloró, rezó, hízole oler vinagre solo... Pero todo fue completamente inútil. El niño se estremecía a veces como los energúmenos, abría unos ojos extraviados y sin vista, que daban miedo, y volvía a quedarse inmóvil.

La comendadora seguía parada en medio de la estancia en actitud de irse, pero con la cabeza vuelta atrás, mirando atentamente al hijo de su hermano.

Al fin pudo éste dejar escapar un soplo de aliento y algunas vagas palabras por entre sus dientes apretados y rechinantes...

Aquellas palabras fueron...

– Desnuda... mi tía...

La comendadora levantó las manos al cielo y prosiguió su camino.

La abuela, temiendo que los criados comprendiesen lo que decía el niño, gritó con imperio:

– ¡Fuera todo el mundo! Vos, Isabel, quedaos.

Los criados obedecieron llenos de asombro.

La comendadora cayó de rodillas.

– ¡Hijo mío!... ¡Carlos!... ¡Hermoso! –gimió la anciana, abrazando lo que parecía ya el cadáver de su nieto–. ¡Llora!... ¡Llora!... ¡No te enfades!... ¡Será lo que tú quieras!

– ¡Desnuda! –dijo Carlos en un ronquido semejante al estertor del que agoniza.

– ¡Señora!... –exclamó la abuela, mirando a su hija de un modo indefinible–, el heredero de los Santos se muere, y con él concluye nuestra casa.

La comendadora tembló de pies a cabeza. Tan aristócrata como su madre y tan piadosa y casta como ella, comprendía toda la enormidad de la situación.

En esto, Carlos se recobró un poco, vio a las dos mujeres, trató de levantarse, dio un grito de furor y volvió a caer con otro ataque aún más terrible que el primero.

— ¡Ver desnuda a mi tía! —había rugido antes de perder nuevamente el movimiento.

Y quedó con los puños crispados en ademán amenazador.

La anciana se santiguó; cogió el libro de oraciones, y dirigiéndose hacia la puerta, dijo al paso a la comendadora, después de alzar una mano al cielo con dolorosa solemnidad:

— Señora..., ¡Dios lo quiere!

Y salió, cerrando la puerta detrás de sí.

IV

Media hora después, el conde de Santos entró en el cuarto de su abuela, hipando, riendo y comiéndose un dulce —que todavía mojaban algunas gotas del pasado llanto—, y sin mirar a la anciana, pero dándole con el codo, díjole en son ronco y salvaje:

— ¡Vaya si está gorda... mi tía!

La condesa, que rezaba arrodillada en un antiguo reclinatorio, dejó caer la frente sobre el libro de oraciones, y no contestó ni una palabra.

El niño se marchó en busca del escultor, y lo encontró rodeado de algunos familiares del Santo Oficio[12], que le mostraban una orden para que los siguiese a las cárceles de la Inquisición, «como pagano y blasfemo, según denuncia hecha por la señora condesa de Santos.»

Carlos, a pesar de toda su audacia, se sobrecogió a la vista de los esbirros del formidable tribunal, y no dijo ni intentó cosa alguna.

V

Al oscurecer se dirigió la condesa al cuarto de su hija, antes de que encendiesen luces, pues no quería verla, aun-

---

12 Agentes de la Inquisición.

que deseaba consolarla, y se encontró con la siguiente carta, que le entregó la camarera de sor Isabel:

> Mi muy amada madre y señora:
> Perdonadme el primer paso que doy en mi vida sin tomar antes vuestra venia; pero el corazón me dice que no lo desaprobaréis.
> Regreso al convento, de donde nunca debí salir y de donde no volveré a salir jamás. Me voy sin despedirme de vos, por ahorraros nuevos sufrimientos.
> Dios os tenga en su santa guarda y sea misericordioso con vuestra amantísima hija,
>
> *Sor Isabel de los Ángeles*

No había acabado la anciana de leer aquellos tristísimos renglones, cuando oyó rodar un carruaje en el patio de la casa y alejarse luego hacia la plaza Nueva...

Era la carroza en que se marchaba la comendadora.

VI

Cuatro años después, las campanas del convento de Santiago doblaron por el alma de sor Isabel de los Ángeles, mientras que su cuerpo era restituido a la madre tierra.

La condesa murió también al poco tiempo.

El conde Carlos pereció sin descendencia, al cabo de quince o veinte años, en la conquista de Menorca[13], extinguiéndose con él la noble estirpe de los condes de Santos.

---

13 Durante el siglo XVIII, Menorca estuvo bajo dominio inglés durante tres períodos. Aunque no hay datos suficientes para precisarlo, Alarcón debe de situar la muerte del conde en 1782, cuando Carlos III reconquistó la isla.

La corneta de llaves

Querer es poder

I

Don Basilio, ¡toque usted la corneta y bailaremos! Debajo de estos árboles no hace calor...

— Sí, sí... Don Basilio, ¡toque usted la corneta de llaves[1]!

— ¡Traedle a don Basilio la corneta en que se está enseñando Joaquín!

— ¡Poco vale!... ¿La tocará usted, don Basilio?

— ¡No!

— ¿Cómo que no?

— ¡Que no!

— ¿Por qué?

— Porque no sé.

— ¡Que no sabe!... ¡Habrá hipócrita igual!

— Sin duda quiere que le regalemos el oído...

— ¡Vamos! ¡Ya sabemos que ha sido usted músico mayor de infantería!...

— Y que nadie ha tocado la corneta de llaves como usted...

— Y que lo oyeron en Palacio..., en tiempos de Espartero[1]...

— Y que tiene usted una pensión...

— ¡Vaya, don Basilio! ¡Apiádese usted!

— Pues, señor..., ¡es verdad! He tocado la corneta de llaves: he sido una... una *especialidad*, como dicen ustedes

---

1 *corneta de llaves*: corneta con orificios que se abren y cierran con llaves. Se usa en el ejército para dar los toques reglamentarios.

1 General liberal. Durante la minoría de edad de Isabel II, fue regente de 1840 a 1843.

ahora...; pero también es cierto que hace doce años regalé mi corneta a un pobre músico licenciado[2], y que desde entonces no he vuelto... ni a tararear.

    — ¡Qué lástima!

    — ¡Otro Rossini[2]!

    — ¡Oh, pues lo que es esta tarde ha de tocar usted!...

    — Aquí, en el campo, todo es permitido...

    — ¡Recuerde usted que es mi día, papá abuelo!...

    — ¡Viva! ¡Viva! ¡Ya está aquí la corneta!

    — Sí, ¡que toque!

    — Un vals...

    — No..., ¡una polca[3]!...

    — ¡Polca!... ¡Quita allá! ¡Un fandango[4]!

    — Sí..., sí..., ¡fandango! ¡Baile nacional!

    — Lo siento mucho, hijos míos; pero no me es posible tocar...

    — Usted, tan amable...

    — Tan complaciente...

    — ¡Se lo suplica a usted su nietecito!...

    — Y su sobrina...

    — ¡Dejadme, por Dios! He dicho que no toco.

    — ¿Por qué?

    — Porque no me acuerdo, y porque, además, he jurado no volver a aprender...

    — ¿A quién se lo ha jurado?

    — ¡A mí mismo, a un muerto, y a tu pobre madre, hija mía!

Todos los semblantes se entristecieron súbitamente al escuchar estas palabras.

    — ¡Oh!... ¡Si supierais a qué costa aprendí a tocar la corneta!... —añadió el viejo.

    — ¡La historia! ¡La historia! —exclamaron los jóvenes—. Contadnos esa historia.

---

2 *licenciado*: militar que ha quedado definitivamente exento del servicio.
3 *polca*: música muy rápida, para bailar.
4 *fandango*: música de una antigua danza española.

---

2 Célebre compositor italiano. Entre sus óperas más conocidas figuran *Tancredo*, *Guillermo Tell* y *El barbero de Sevilla*.

– En efecto... –dijo don Basilio–. Es toda una historia. Escuchadla, y vosotros juzgaréis si puedo o no puedo tocar la corneta...

Y sentándose bajo un árbol, rodeado de unos curiosos y afables adolescentes, contó la historia de sus lecciones de música.

No de otro modo Mazzepa[3], el héroe de Byron, contó una noche a Carlos XII, debajo de otro árbol, la terrible historia de sus lecciones de equitación.

Oigamos a don Basilio.

II

Hace diecisiete años que ardía en España la guerra civil[4].

Carlos[5] e Isabel[6] se disputaban la Corona, y los españoles, divididos en dos bandos, derramaban su sangre en lucha fratricida.

Tenía yo un amigo llamado Ramón Gámez, teniente de cazadores de mi mismo batallón; el hombre más cabal que he conocido... –nos habíamos educado juntos, juntos salimos del colegio, juntos peleamos mil veces y juntos deseábamos morir por la libertad...–. ¡Oh, estoy por decir que él era más liberal que yo y que todo el ejército!...

Pero he aquí que cierta injusticia cometida por nuestro jefe en daño de Ramón, uno de esos abusos de autoridad que disgustan de la más honrosa carrera: una arbitrariedad, en fin, hizo desear al teniente de cazadores abandonar las filas de sus hermanos, al amigo dejar al amigo, al liberal pasarse a la facción[5], al subordinado matar a su teniente

---

5 *facción*: grupo armado de carácter rebelde. En la época designaba, por antonomasia, a los carlistas.

3 A partir del canto IV del poema homónimo de Byron, Mazzepa cuenta al rey de Suecia su terrible cabalgada por la estepa, atado a un caballo.
4 Teniendo en cuenta que el relato está fechado en 1854, los hechos se situarían en 1837, en la primera guerra carlista.
5 Hermano de Fernando VII, fue proclamado rey por los carlistas, partidarios del absolutismo.
6 Hija de Fernando VII, apoyada por los liberales.

coronel... ¡Buenos humos tenía Ramón para aguantar insultos e injusticias ni al lucero del alba!

Ni mis amenazas ni mis ruegos bastaron a disuadirle de su propósito. ¡Era cosa resuelta! ¡Cambiaría el morrión por la boina[7], odiando como odiaba mortalmente a los facciosos!

A la sazón nos hallábamos en el Principado[8], a tres leguas del enemigo.

Era la noche en que Ramón debía desertar; noche lluviosa y fría, melancólica y triste, víspera de una batalla.

A eso de las doce entró Ramón en mi alojamiento.

Yo dormía.

— Basilio... —murmuró a mi oído.

— ¿Quién es?

— Soy yo. ¡Adiós!

— ¿Te vas ya?

— Sí; adiós.

Y me cogió una mano.

— Oye... —continuó—, si mañana hay, como se cree, una batalla y nos encontramos en ella...

— Ya lo sé: somos amigos.

— Bien; nos damos un abrazo, y nos batimos en seguida. ¡Yo moriré mañana regularmente[6], pues pienso atropellar por todo hasta que mate al teniente coronel! En cuanto a ti, Basilio, no te expongas... La gloria es humo.

— ¿Y la vida?

— Dices bien: hazte comandante —exclamó Ramón—. La paga no es humo... sino después que uno se la ha fumado... ¡Ay, todo eso se acabó para mí!

— ¡Qué tristes ideas! —dije yo muy afectado—. Mañana sobreviviremos los dos a la batalla.

— Pues emplacémonos[7] para después de ella...

— ¿Dónde?

— En la ermita de San Nicolás, a la una de la noche. El

---

6 *regularmente*: con seguridad.
7 *emplacémonos*: quedemos convocados para volver a encontrarnos.

7 Símbolos respectivos de los dos ejércitos: los liberales llevaban *morrión* (gorro cilíndrico y con visera), y los carlistas boina blanca.
8 El Principado de Navarra.

que no asista será porque haya muerto. ¿Quedamos conformes?

— Conformes.

— Entonces... ¡adiós!

— ¡Adiós!

Así dijimos, y después de abrazarnos tiernamente, Ramón desapareció en las sombras nocturnas.

III

Como esperábamos, los facciosos nos atacaron al siguiente día.

La acción fue muy sangrienta, y duró desde las tres de la tarde hasta el anochecer.

A cosa de las cinco, mi batallón fue rudamente acometido por una fuerza de alaveses que mandaba Ramón...

¡Ramón llevaba ya las insignias de comandante y la boina blanca de carlista!...

Yo mandé hacer fuego contra Ramón y Ramón contra mí; es decir, que su gente y mi batallón lucharon cuerpo a cuerpo.

Nosotros quedamos vencedores, y Ramón tuvo que huir con los muy mermados restos de sus alaveses; pero no sin que antes hubiera dado muerte por sí mismo, de un pistoletazo, al que la víspera era su teniente coronel, el cual en vano procuró defenderse de aquella furia...

A las seis, la acción se volvió desfavorable para nuestro ejército, y parte de mi pobre compañía y yo fuimos cortados y obligados a rendirnos...

Condujéronme, pues, prisionero a la pequeña villa de ......, ocupada por los carlistas desde los comienzos de aquella campaña, y donde era de suponer que me fusilarían inmediatamente...

La guerra era entonces sin cuartel[8].

---

8 *sin cuartel*: sin tregua, sin compasión.

IV

Sonó la una de la noche de tan aciago[9] día: ¡la hora de mi cita con Ramón!

Yo estaba encerrado en un colabozo de la cárcel pública de dicho pueblo.

Pregunté por mi amigo y me contestaron:

— ¡Es un valiente! Ha matado a un teniente coronel. Pero habrá perecido en la última hora de la acción...

— ¡Cómo! ¿Por qué lo decís?

— Porque no ha vuelto del campo ni la gente que ha estado hoy a sus órdenes da razón de él...

¡Ah, cuánto sufrí aquella noche!

Una esperanza me quedaba... Que Ramón me estuviese aguardando en la ermita de San Nicolás, y que por este motivo no hubiese vuelto al campamento faccioso.

«¡Cuál será su pena al ver que no asisto a la cita!», pensaba yo. «¡Me creerá muerto! Y por ventura, ¿tan lejos estoy de mi última hora? ¡Los facciosos fusilan ahora siempre a los prisioneros; ni más ni menos que nosotros!...»

Así amaneció el día siguiente.

Un capellán entró en mi prisión.

Todos mis compañeros dormían.

— ¡La muerte! —exclamé al ver al sacerdote.

— Sí —respondió éste con dulzura.

— ¡Ya!

— No; dentro de tres horas.

Un minuto después habían despertado mis compañeros. Mil gritos, mil sollozos, mil blasfemias llenaron los ámbitos de la prisión.

V

Todo hombre que va a morir suele aferrarse a una idea cualquiera y no abandonarla más.

Pesadilla, fiebre o locura: esto me sucedió a mí. La idea

---

9 *aciago*: desgraciado.

de Ramón; de Ramón vivo, de Ramón muerto, de Ramón en el cielo, de Ramón en la ermita se apoderó de mi cerebro de tal modo que no pensé en otra cosa durante aquellas horas de agonía.

Quitáronme el uniforme de capitán y me pusieron una gorra y un capote viejo de soldado.

Así marché a la muerte con mis diecinueve compañeros de desventura...

Sólo uno había sido indultado... ¡por la circunstancia de ser músico! Los carlistas perdonaban entonces la vida a los músicos a causa de tener gran falta de ellos en sus batallones...

– ¿Y era usted músico, don Basilio? ¿Se salvó usted por eso? –preguntaron todos los jóvenes a una vez.

– No, hijos míos... –respondió el veterano–. ¡Yo no era músico!

Formóse el cuadro, y nos colocaron en medio de él...

Yo hacía el número once; es decir, yo moriría el undécimo...

Entonces pensé en mi mujer y en mi hija; ¡en ti y en tu madre, hija mía!

Empezaron los tiros...

¡Aquellas detonaciones me enloquecían!

Como tenía vendados los ojos, no veía caer a mis compañeros.

Quise contar las descargas para saber, un momento antes de morir, que se acababa mi estancia en este mundo...

Pero antes de la tercera detonación perdí la cuenta.

¡Oh, aquellos tiros tronarán eternamente en mi corazón y en mi cerebro, como tronaban aquel día!

Ya creía oírlos a mil leguas de distancia; ya los sentía reventar dentro de mi cabeza.

¡Y las detonaciones seguían!

«¡Ahora!», pensaba yo.

Y crujía la descarga, y yo estaba vivo.

«¡Ésta es!...», me dije por último.

Y sentí que me cogían por los hombros, y me sacudían, y me daban voces en los oídos...

Caí...

No pensé más...

Pero sentía algo como un profundo sueño...
Y soñé que había muerto fusilado.

VI

Luego soñé que estaba tendido en una camilla, en mi prisión.

No veía.

Llevéme la mano a los ojos como para quitarme una venda, y me toqué los ojos abiertos, dilatados... ¿Me había quedado ciego?

No... Era que la prisión se hallaba llena de tinieblas.

Oí un doble de campanas..., y temblé.

Era el toque de ánimas[10].

«Son las nueve...», pensé. «Pero, ¿de qué día?»

Una sombra, más oscura que el tenebroso aire de prisión, se inclinó sobre mí

Parecía un hombre...

¿Y los demás? ¿Y los otros dieciocho?

¡Todos habían muerto fusilados!

¿Y yo?

Yo vivía o deliraba dentro del sepulcro.

Mis labios murmuraron maquinalmente un nombre: el nombre de siempre, mi pesadilla...

— «¡Ramón!»

— ¿Qué quieres? —me respondió la sombra que había a mi lado.

Me estremecí.

— ¡Dios mío! —exclamé—. ¿Estoy en el otro mundo?

— ¡No! —dijo la misma voz.

— Ramón, ¿vives?

— Sí.

— ¿Y yo?

— También.

— ¿Dónde estoy? ¿Es ésta la ermita de San Nicolás? ¿No me hallo prisionero? ¿Lo he soñado todo?

— No, Basilio; no has soñado nada. Escucha.

---

10 *toque de ánimas*: toque para el rezo por las almas de los difuntos.

VII

Como sabrás, ayer maté al teniente coronel en buena lid... ¡Estoy vengado! Después, loco de furor, seguí matando..., y maté... hasta después de anochecido..., hasta que no había un cristiano en el campo de batalla...

Cuando salió la luna me acordé de ti. Entonces enderecé mis pasos a la ermita de San Nicolás, con intención de esperarte.

Serían las diez de la noche. La cita era a la una, y la noche antes no había yo pegado los ojos... Me dormí, pues, profundamente.

Al dar la una lancé un grito y desperté.

Soñaba que habías muerto...

Miré a mi alrededor y me encontré solo.

¿Qué había sido de ti?

Dieron las dos..., las tres..., las cuatro... ¡Qué noche de angustia!

Tú no parecías...

¡Sin duda habías muerto!...

Amaneció.

Entonces dejé la ermita y me dirigí a este pueblo en busca de los facciosos.

Llegué al salir el sol.

Todos creían que yo había perecido la tarde antes...

Así fue que al verme me abrazaron y que el general me colmó de distinciones.

En seguida supe que iban a ser fusilados veintiún prisioneros.

Un presentimiento se levantó en mi alma.

«¿Será Basilio uno de ellos?», me dije.

Corrí, pues, hacia el lugar de la ejecución...

El cuadro estaba formado.

Oí unos tiros...

Habían empezado a fusilar.

Tendí la vista...; pero no veía...

Me cegaba el dolor; me desvanecía el miedo.

Al fin te distingo...

¡Ibas a morir fusilado!

Faltaban dos víctimas para llegar a ti.

¿Qué hacer?

Me volví loco; di un grito, te cogí entre mis brazos, y con una voz ronca, desgarradora, tremebunda, exclamé:

— ¡Éste no! ¡Éste no, mi general...!

El general, que mandaba el cuadro y que tanto me conocía por mi comportamiento de la víspera, me preguntó:

— Pues qué, ¿es músico?

Aquella palabra fue para mí lo que sería para un viejo ciego de nacimiento ver de pronto el sol en toda su refulgencia.

La luz de la esperanza brilló a mis ojos tan súbitamente que los cegó.

— ¡Músico! –exclamé–. ¡Sí..., sí..., mi general! ¡Es músico! ¡Un gran músico!

Tú entre tanto yacías sin conocimiento.

— ¿Qué instrumento toca? –preguntó el general.

— El... la... el... el..., ¡sí!, ¡justo!..., eso es..., ¡la corneta de llaves!

— ¿Hace falta un corneta de llaves? –preguntó el general, volviéndose a la banda de música.

Cinco segundos, cinco siglos, tardó la contestación.

— Sí, mi general; hace falta –respondió el músico mayor.

— Pues sacad a ese hombre de las filas, y que siga la ejecución al momento... –exclamó el jefe carlista.

Entonces te cogí en mis brazos y te conduje a este calabozo.

VIII

No bien dejó de hablar Ramón cuando me levanté y le dije, con lágrimas, con risa, abrazándolo, trémulo, yo no sé cómo.

— ¡Te debo la vida!

— ¡No tanto! –respondió Ramón.

— ¿Cómo es eso? –exclamé.

— ¿Sabes tocar la corneta?

— No.

— Pues no me debes la vida, sino que he comprometido la mía sin salvar la tuya.

Quedéme frío como una piedra.

– ¿Y música? –preguntó Ramón–. ¿Sabes?

– Poca, muy poca... Ya recordarás la que nos enseñaron en el colegio...

– ¡Poco es, mejor dicho, nada! ¡Morirás sin remedio!... ¡Y yo también, por traidor..., por falsario! ¡Figúrate tú que dentro de quince días estará organizada la banda de música a que has de pertenecer!...

– ¡Quince días!

– ¡Ni más ni menos! Y como no tocarás la corneta..., porque Dios no hará un milagro, nos fusilarán a los dos sin remedio.

– ¡Fusilarte! –exclamé–. ¡A ti! ¡Por mí! ¡Por mí, que te debo la vida! ¡Ah, no; no querrá el cielo! Dentro de quince días sabré música y tocaré la corneta de llaves.

Ramón se echó a reír.

IX

¿Qué más queréis que os diga, hijos míos?

En quince días..., ¡oh poder de la voluntad!, en quince días con sus quince noches, pues no dormí ni reposé un momento en medio mes, ¡asombraos!..., ¡en quince días aprendí a tocar la corneta!

¡Qué días aquellos!

Ramón y yo nos salíamos al campo, y pasábamos horas y horas con cierto músico que diariamente venía de un lugar próximo a darme lección...

¡*Escapar*!... Leo en vuestros ojos esta palabra... ¡Ay, nada más imposible! Yo era prisionero y me vigilaban... Y Ramón no quería escapar sin mí.

Y yo no hablaba, yo no pensaba, yo no comía...

Estaba loco, y mi monomanía era la música, la corneta, la endemoniada corneta de llaves...

¡Quería aprender, y aprendí!

Y si hubiera sido mudo, habría hablado...

Y paralítico, hubiera andado...

Y ciego, hubiera visto.

¡Porque *quería*!

¡Oh, la voluntad suple por todo! QUERER ES PODER.

Quería: ¡he aquí la gran palabra.

Quería..., y lo conseguí. ¡Niños, aprended esta gran verdad!

Salvé, pues, mi vida...

Pero me volví loco.

Y loco, mi locura fue el arte.

En tres años no solté la corneta de la mano.

Do-re-mi-fa-sol-la-si; he aquí mi mundo durante todo aquel tiempo.

Mi vida se reducía a soplar.

Ramón no me abandonaba...

Emigré a Francia, y en Francia seguí tocando la corneta.

¡La corneta era yo! ¡Yo cantaba con la corneta en la boca!

Los hombres, los pueblos, las notabilidades del arte se agrupaban para oírme...

Aquello era un pasmo, una maravilla...

La corneta se doblegaba entre mis dedos; se hacía elástica; gemía, lloraba, gritaba, rugía; imitaba al ave, a la fiera, al sollozo humano... Mi pulmón era de hierro.

Así viví otros dos años más.

Al cabo de ellos falleció mi amigo.

Mirando su cadáver recobré la razón...

Y cuando, ya en mi juicio, cogí un día la corneta... –¡qué asombro!– me encontré con que no sabía tocarla...

¿Me pediréis ahora que os haga son para bailar?

PROPUESTAS
DE
TRABAJO

TEXTOS AUXILIARES

1. VALORACIONES CRÍTICAS DE LOS CUENTOS

1.1

Valor educativo y moralizador de los *Cuentos amatorios*

«Ni por la forma, ni por la esencia, son amatorios al modo de ciertos libros de la literatura francesa contemporánea, en que el amor sensual se sobrepone a toda ley divina y humana, secando las fuentes de las verdaderas virtudes, talando el imperio del alma, arrancando de ella la fe y la esperanza, y destruyendo los respetos innatos que sirven de base a la familia y a la sociedad.

Mis cuentos son amatorios a la antigua española, a la buena de Dios, por humorada y capricho, como tantas y tantas novelas, comedias y poesías de nuestros antiguos y célebres escritores, en que, sin odio ni ataque deliberado a los buenos principios, ni aflicción ni bochorno del género humano, se describían festivamente, y en son de picaresca burla, excesos y ridiculeces de estrambóticos amadores y de equívocas princesas, de paganos y de busconas, de rufianes y de celestinas, con los chascos, zumbas y epigramas que requería cada lance, todo ello teñido de un verdor primaveral y gozoso, que más inducía a risa que a pecado.»

> Pedro Antonio de Alarcón, «Dedicatoria» de los *Cuentos amatorios,* en *Novelas completas,* Aguilar, Madrid, 1974, p. 741.

«La misma heterogeneidad que en las *Narraciones inverosímiles* advierto en los *Cuentos amatorios.* Sólo que en éstos falla el sentido crítico del autor, pues los defiende asegurando que, a pesar de su forma exterior y aun picante, son "amatorios a la antigua española" y no "al modo de ciertos libros de la literatura francesa contemporánea, en que el amor sensual se sobrepone a toda ley divina y humana". Jamás ha partido de la pluma de Alarcón afirmación más gratuita, más ligera, más desprovista de pruebas, más contraria a la verdad y más opuesta a lo que nos enseña la poca historia literaria que sabemos. Pero a mayores contradicciones pudo inducir a Alarcón su trasnochado empeño de aparecer perpetuo campeón de la moral y blanca paloma de las letras.»

> E. Pardo Bazán, «P.A. de Alarcón», en *Obras Completas,* III, Aguilar, Madrid, 1973, pp. 1380-1381.

1.2

La descripción del carbonero alcalde

«Terminada la descripción de las cosas –pueblo y armas– se comienza la de los moradores de Lapeza, sintetizados en el hombre-símbolo: su alcalde.

Esta descripción es pieza maestra alarconiana. Prolija, minuciosa, como corresponde a su tiempo, pinta con rasgos acentuadísimos, hiperbólicos, un símbolo ibérico que en la plástica podía tener paralelo en el hombre descamisado de Goya que se abre frente a las bayonetas en los *Fusilamientos de la Moncloa*. Alarcón pinta su héroe como una «humanización del medio». Ya la lengua popular tiene imágenes para exaltar algunas cualidades físicas tomadas del medio vegetal: "alto como un pino", "fuerte como un roble", son comparaciones corrientes. Alarcón modifica algo estas frases populares: "alto como un ciprés", "nudoso como un fresno" y "fuerte como una encina". Estos son los montes de Lapeza. [...]

Todas las cualidades del carbonero son comparadas con el ambiente del bosque. Del bosque que no es tal, es decir, no es un bosque auténtico, poblado de mitologías, sino el muy real "monte bajo" erizado de aulagas y chaparros. La cara es "cordobán curtido", su voz "ronca como un trabucazo", y para terminar de fundir al hombre con el medio, tiene ciertas tonalidades parecidas al golpe del hacha en la leña. Voz que, rugiendo o hablando, va a tener suma importancia en la narración.»

A. Soria Ortega, «Ensayo sobre P.A. de Alarcón y su estilo», *Boletín de la Real Academia Española*, XXXII, 1952, pp. 126-127.

1.3

Primera versión (1854) del final de *El extranjero*

«– El pobre Risas tenía un presentimiento de lo que iba a sucederle, y así, cuando le propuse que me acompañara a Rusia con Napoleón, me preguntó al momento: "¿Pasaremos por la tierra de los polacos?" "Es regular", le contesté. "Pues no voy", me replicó. Le convencí al cabo... y... ya le digo a usted, entre las cuatro polacas no dejaron ni rastro de mi asistente.

– Pero ¿cómo se apoderaron de él? ¿Por qué dejaron libre al compañero? ¿De dónde nacía este odio? –preguntó el comandante.

– Nunca me he podido explicar todo esto. Pero he adivinado mucho. Oiga usted. Herido Risas en una escaramuza, le llevó su amigo (un muchacho que había estado siempre con él en la guerra de la Independencia) le llevó, digo, a una casa de campo allí próxima.

Al principio le cuidaron mucho las cuatro polacas que la habitaban, y desplegaron una viva caridad.

"¿Eres español?", le preguntaban. "Sí", decía Risas. "¿Has visto a Iwa? ¿Iwa ha muerto? ¡Qué será de Iwa!", replicaban las pobres mujeres, que habían perdido algún pariente en la guerra de España y no lo sabían de cierto. Risas las consolaba. Pero es lo raro que al desnudarle le encontraron no sé que retrato o medallón, a cuya vista las polacas rompieron a gritos.

"¡Iwa! ¡Iwa! ¡Iwa!", exclamaban. "¿Es éste Iwa?", preguntó Risas señalando el retrato. "¿Era pariente vuestro el polaco que llevaba este medallón?" "Sí, sí..." "Pues entonces no lo esperéis". "¿Y por qué tienes tú ese retrato? ¡Ah! ¡Ah! ¡Eres español!". Y, precipitándose sobre él, le hicieron pedazos. Fue obra de un minuto. Su amigo, el que me ha dado estos detalles, huyó despavorido.

– Y ¿qué ha sido de él? –pregunté yo desde mi mesa, no pudiendo dominar aquella intromisión impolítica.

El viejo coronel no extrañó mi pregunta.

Antes bien pareció alegrarse del interés que en mí había excitado su narración, hecha en voz alta.

– El compañero de Risas –contestó el anciano– se heló al día siguiente.

– ¡Conque los dos murieron en Polonia!

– Los dos.»

J.F. Montesinos, Pedro Antonio de Alarcón, Castalia, Madrid, 1988, pp. 139-140.

2. TEMAS AFINES

2.1

El azar y lo siniestro

«Sólo el factor de la repetición involuntaria es el que nos hace parecer siniestro lo que en otras circunstancias sería inocente, imponiéndonos así la idea de lo nefasto, de lo ineludible, donde en otro caso sólo habríamos hablado de "casualidad". Así, por ejemplo, seguramente es una vivencia indiferente si en el guardarropas nos dan, al entregar nuestro sombrero, un número determinado –digamos, el 62– o si nos hallamos con que nuestro camarote del barco lleva ese número. Pero tal impresión cambia si ambos hechos, indiferentes entre sí, se aproximan, al punto que el número 62 se encuentra varias veces en un mismo día, o si aún llega a suceder que todo lo que lleva un número –direcciones, cuartos de hotel, coches de ferrocarril, etc.– presenta siempre la misma cifra, por lo menos como elemento parcial. Se considera esto "siniestro", y quien no esté acorazado contra la superstición, será tentado a atribuir un sentido misterioso a este obstinado retorno del mismo número, viendo en él, por ejemplo, una alusión a la edad que no ha de sobrevivir.»

S. Freud, *Lo siniestro*, Ediciones Noé, Buenos Aires, 1973, p. 36.

2.2

Definición de lo fantástico

«En un mundo que es el nuestro, el que conocemos, sin diablos, sílfides ni vampiros, se produce un acontecimiento imposible de explicar por las leyes de ese mismo mundo familiar. El que percibe el acontecimiento debe optar por una de las dos soluciones posibles: o bien se trata de una ilusión de los sentidos, de un producto de imaginación, y las leyes del mundo siguen siendo lo que son, o bien el acontecimiento se produjo realmente, es parte integrante de la realidad, y entonces esa realidad está regida por leyes que desconocemos. O bien el diablo es una ilusión, un ser imaginario, o bien existe realmente, como los demás seres, con la diferencia de que rara vez se lo encuentra.

Lo fantástico ocupa el tiempo de esta incertidumbre. En cuanto se elige una de las dos respuestas, se deja el terreno de lo fantástico para entrar en un género vecino: lo extraño o lo maravilloso. Lo fantástico es la vacilación experimentada por un ser que no conoce más que las leyes naturales, frente a un acontecimiento aparentemente sobrenatural.»

T. Todorov, *Introducción a la literatura fantástica*, Premia Editora, México, 1980, p. 24.

2.3

Diferencias entre cuento y novela

«De una novela se recuerdan situaciones, descripciones, ambientes, pero no siempre el argumento. El cuento se recuerda íntegramente o no se recuerda. Todo esto parece sugerir que mientras las peripecias de una novela pueden complicarse, no sucede lo mismo con el cuento, cuya trama ha de poseer el suficiente interés como para ser recordada de golpe, pero sin pecar nunca de enmarañada, como una novela en síntesis. Es condición ésta que revela la dificultad del cuento, ya que su autor no puede utilizar los trucos dables en el folletín y aun en la novela, de jugar con el interés del lector, dilatando, escondiendo el desenlace, suspendiendo una acción y entrecruzándola con otra, describiendo reacciones insospechadas. En el cuento los tres tiempos –exposición, nudo y desenlace– de las viejas preceptivas están tan apretados que casi son uno solo. El asunto ha de ser sencillo y apasionante a la vez. El lector de una novela podrá sentirse defraudado por el primer capítulo, pero quizá el segundo conquiste su interés. En el cuento no hay tiempo para eso: desde las primeras líneas ha de atraer la atención del lector, sin trucos, con la sola fuerza del trozo de vida captado, de la fantasía imaginada.»

Mariano Baquero Goyanes, *El cuento español en el siglo XIX*, CSIC, Madrid, 1949, pp. 125-126.

3. DOCUMENTOS HISTÓRICOS

3.1

Postura de Jovellanos ante la invasión napoleónica

«Señor general: Yo no sigo un partido. Sigo la santa y justa causa que sostiene mi patria. [...] No lidiamos, como pretendéis, por la Inquisición ni por soñadas preocupaciones, ni por el interés de los grandes de España; lidiamos por los preciosos derechos de nuestro rey, nuestra religión, nuestra constitución y nuestra independencia. Ni creáis que el deseo de conservarlos esté distante del de destruir cuantos obstáculos puedan oponerse a este fin; antes por el contrario, y para usar de vuestra frase, el deseo y el propósito de regenerar la España y levantarla al grado de esplendor que ha tenido algún día y que en adelante tendrá, es mirado por nosotros como una de nuestras principales obligaciones. [...]

En fin, señor general, yo estaré muy dispuesto a respetar los humanos y filosóficos principios que, según nos decís, profesa vuestro rey José, cuando vea que, ausentándose de nuestro territorio, reconoce que una nación, cuya desolación se hace actualmente a su nombre por vuestros soldados, no es el teatro más propio para desplegarlos.»

G. M. de Jovellanos, «Carta contestando al general francés Sebastiani», en *Obras selectas*, Ebro, Zaragoza, 1957, pp. 111-112.

3.2

Un análisis de la Guerra de la Independencia

«Considerado a grandes rasgos, el movimiento parece más bien dirigido contra la revolución que en favor de ella: nacional por la proclamación de la independencia de España respecto de Francia, el movimiento es sin embargo al mismo tiempo dinástico, oponiendo a José Bonaparte el "deseado" Fernando VII; es reaccionario al oponer las viejas instituciones, costumbres y leyes a las racionales innovaciones de Napoleón; y supersticioso y fanático en su defensa de la "santa religión" contra lo que se llamaba el ateísmo francés o la destrucción de los especiales privilegios de la Iglesia Católica. Asustados por la suerte que habían corrido sus hermanos en Francia, los clérigos fomentaron las pasiones populares en interés de su propia conservación. [...]

Todas las guerras por la independencia dirigidas contra Francia llevan simultáneamente en sí la impronta de la regeneración mezclada con la de la reacción; pero en ninguna parte se presenta el fenómeno con la intensidad con que lo hace en España.»

> K. Marx, «España revolucionaria», en Marx y Engels,
> *Revolución en España*, Ariel, Barcelona, 1970, p. 80.

3.3

Dos versiones sobre los bandoleros andaluces

«Nadie jabla mal de Diego,
¿no es verdad? Diego no es malo,
siempre anda por los caminos
y [a] nadie le jace daño.
El, cuando a un rico se encuentra
si acaso le quita argo,
es pa socorrer a los probes
que están más necesitaos.
¿Quiere osté creerlos, tío Gaspar,
que en er tiempo que le jablo
sólo cuatro frioleras
es lo que m'a regalao?
Su faltriquera, vacía;
nunca tiene un ochavo. [...]
Y yo le alabo el gusto.
Yo como é lo que trabajo,
y le digo que socorra
a los probes desdichaos,
lo que a tanto riesgo junta
pasando por esos campos.»

> Anónimo, «Pasillo de Diego Corrientes», en J. Caro
> Baroja, *Ensayo sobre la literatura de cordel*, Círculo
> de Lectores, Barcelona, 1988, p. 349.

«Sucedió, porque se admiren,
lo que relata mi lengua,
el caso más estupendo
que en los anales se cuenta,
la crueldad más extraña
y la maldad más perversa,
que hicieron siete ladrones
en la gran Sierra Morena. [...]
... y andando más adelante,
con una señora encuentran
con la barriga en la boca[1],
y su marido con ella;
le quitaron muchas joyas
de diamantes y de perlas,
y al marido maniataron
y luego con soberbia
todos siete la gozaron[2];
¿quién vio maldad tan perversa?
La criatura sacaron,
y al padre azotan con ella;
aquí fue la crueldad.
¡Oh, qué entrañas se atrevieran
a hacer semejante infamia!»

Anónimo, «Nuevo romance en que se declara las grandes crueldades, insultos, muertes y robos que hizo Andrés Vázquez y sus hermanos», en J. Marco, *Literatura popular en España en los siglos XVIII y XIX*, Taurus, Madrid, 1977, p. 455.

3.4

Causas del bandolerismo andaluz

«El campesino andaluz se ve obligado a trabajar mantenido por el amo, que además le paga un jornal exiguo, con el cual no es posible que atienda a satisfacer las necesidades más indispensables de su familia; y he aquí la causa más frecuente de la gran despoblación que se nota en un país tan rico y feraz, como igualmente de la mendicidad y el bandolerismo. [...]

A esta causa primera de merodeo, algarinaje y bandolerismo deben añadirse la influencia del clima, que irresistiblemente convida a

---

1 *la barriga en la boca*: que estaba de parto.
2 *la gozaron*: la violaron.

los goces; el carácter aventurero y la imaginación árabe y extraordinariamente vivaz de aquellos habitantes; el maravilloso influjo que sobre ellos ejerce la fama y nombradía de algunos bandidos célebres; el ansia de ver relatadas sus guapezas en romances y en papeles públicos; el encanto del peligro y aun de la ganancia en las aventuras y negocios del contrabando; el prurito de ir armados, perdonar vidas, convidar a todo el mundo y montar buenos caballos... y, sobre todo, la especie de culto y paliza con que favorecen a las buenas hembras, a las cuales prodigan sin reparo y con verdadero rumbo cuantas galas, joyas y sopapos se les antojan..., son otros tantos y poderosos estímulos que los conducen a salir en cuadrilla y a caballo a cortar caminos y a desplumar caminantes.»

Julián Zugasti, *El bandolerismo*, ed. E. Inman Fox, Alianza, Madrid, 1982, pp. 420-421.

3.5

Las represalias en la Primera Guerra Carlista

«Así pues, no le fue permitido a Zumalacárregui dejar que prevalecieran por más tiempo las condiciones y consideraciones de humanidad con respecto al enemigo; el deber para con los suyos y para con la causa que defendía dictó sus disposiciones. Ordenó proceder a las represalias: por cada carlista muerto fuera de combate se fusilaría a un prisionero. Como esto fue completamente ineficaz, ordenó que por cada asesinado se fusilase a diez de lo numerosos prisioneros que sus victorias dejaban diariamente en sus manos, y de los cuales, sin embargo, la mayor parte seguían vivos. Insensibles a los lamentos de los suyos, al igual que con las convulsiones de muerte de sus adversarios, persistieron los generales enemigos en su sangriento sistema: todo prisionero, sin excepción alguna, era fusilado. Renegando de la crueldad que había intentado evitar a toda costa, Zumalacárregui ordenó entonces también que en adelante no se diese cuartel ninguno, hasta que no aboliesen ellos sus decretos de exterminio y adoptasen un modo más humano de hacer la guerra. Así quedó pronunciada la horrible palabra: por ambos lados, lucha a vida o muerte.»

A. Von Goeben, *Cuatro años en España, 1836-1840*, ed. L. Ruiz, Dip. Foral, Pamplona, 1966, p. 77.

4. HÉROES Y VÍCTIMAS

4.1

Un héroe de carne y hueso

«También otros comenzaron a escabullirse entre las nubes de

humo. El muchacho volvió la cabeza, sacada de su estupor por esas actitudes, con la sensación de que todo el regimiento lo estaba dejando solo. Vio unas pocas siluetas fugitivas. Y entonces gritó asustado, se revolvió, y por un momento, en medio del estruendo, se sintió como el pollito del cuento. Había perdido todo sentido de seguridad. La destrucción lo amenazaba por todas partes.

Empezó a correr hacia la retaguardia, a grandes saltos. [...]

El muchacho llevaba los brillantes colores de su bandera siempre adelante. Agitaba su brazo libre haciendo furiosos círculos, mientras gritaba locamente, animando a los demás, aunque éstos no necesitaban sus incitaciones, pues diríase que los hombres de azul se habían arrojado sobre el peligroso bosque de fusiles del enemigo, dominados por la más exacerbada abnegación.

Por la lluvia de disparos que caían sobre ellos, tal parecía que sólo conseguirían alfombrar de cadáveres la hierba, entre su primitiva posición y el vallado. Pero ellos vivían un instante de frenesí, quizá porque se hubiesen olvidado de sí mismos, y hacían alarde de una sublime temeridad. [...]

Se había curado de la roja enfermedad de las batallas. La sofocante pesadilla era ya cosa del pasado. Había sido él un animal maltrecho y sudoroso en el fuego y en la angustia de la guerra. Volvía, ahora, con la sed de un amante, a las añoranzas de los cielos tranquilos, de las praderas verdes y de los arroyos frescos... A una vida de dulce y eterna paz.»

Stephen Crane, *La roja insignia del valor*, Aguilar, Madrid, 1962, pp. 119-120, 333 y 352.

4.2

El enemigo, de cerca

«Es el primer hombre que he matado con mis propias manos a quien puedo contemplar tan detenidamente, dándome cuenta de que su muerte es obra mía. [...]

El silencio se prolonga. Hablo, he de hablar forzosamente. Por esto me dirijo al muerto y le digo:

– Camarada, no quería matarte. Si volvieras a saltar aquí dentro, no lo haría, a condición de que tú también fueras razonable. Pero, ante todo, tú has sido para mí una idea, una combinación que vivía en mi cerebro y que exigía una decisión; es esta combinación lo que yo he apuñalado. Tan sólo ahora comprendo que tú eras un hombre como yo. He pensado en tus granadas de mano, en tu bayoneta, en todas tus armas... Ahora veo tu mujer y tu rostro, aquello que tenemos en común. ¡Perdóname, camarada! Siempre nos damos cuenta demasiado tarde de las cosas. ¿Por qué no nos dicen continuamente que vosotros sois unos pobres infelices como nosotros, que vuestras madres viven en la misma angustia que las nuestras y que todos tenemos el mismo miedo a la muerte, el mismo agonizar y los mismos dolores? ¡Perdóname, camarada! ¿Cómo podías ser mi enemigo? Si tiráramos estas armas y este uniforme, tú podrías ser mi hermano, al igual que Kat y Albert. ¡Toma veinte años de los míos, compañero, y levántate! Toma más, si quieres, pues yo no sé tampoco qué hacer con ellos.»

Eric Mª Remarque, *Sin novedad en el frente*, Bruguera, Barcelona, 1973, pp. 170 y 172.

4.3

La pena de muerte

«– En estos casos –repuso el joven abogado tímidamente–, es cuando se pregunta uno si la sociedad tiene derecho para matar; porque, indudablemente, este hombre no ha estado nunca en posesión de su conciencia, y la sociedad, que no se ha cuidado de educarle, que le ha abandonado, no debía tener derecho...

– La cuestión de derecho es una cuestión vieja, de la que nadie se ocupa –replicó el viejo con cierta irritación–. ¿Existe la pena de muerte? Pues matemos. Considerar la pena de muerte como medio de rehabilitación moral, aquí entre nosotros, es una estupidez. ¡Enviar a uno a que se rehabilite a un presidio!... El derecho a la pena, el derecho a ser rehabilitado..., muy bonito para la cátedra. El presidio y la pena de muerte no son más que medidas de higiene social, y desde este punto de vista, nada tan higiénico como cumplir la ley en todos los casos, sin indultar a nadie. [...]

Bajó Manuel unos escalones. Se abrió la puerta de un calabozo. Había allí una medrosa semiobscuridad. Un hombre estaba tirado en un banco. Era el *Bizco*.

El *Bizco* en aquel instante pensaba. Pensaba que afuera hacía un sol hermoso; que en las calles andaría la gente disfrutando de su libertad; que en el campo habría sol, y pájaros en los árboles. Y que él estaba encerrado. En la bruma de su cerebro no había ni un asomo de remordimiento, sino una gran tristeza, una enorme tristeza. Pensaba también que estaba condenado a muerte, y se estremecía...

Nunca se había preguntado por qué era odiado, por qué era perseguido. Él había seguido el fatalismo de su manera de ser.»

P. Baroja, *Aurora roja*, Caro Raggio, Madrid, 1974, pp. 199-200.

LITERATURA

1. EL CARBONERO ALCALDE

1.1

Lapeceños y **franceses** presentan una serie de características sociológicas, ideológicas y militares totalmente opuestas.

- Elabora un cuadro esquemático en el que aparezcan las características definitorias de unos y otros.

Estas diferencias hacen que el cuento esté construido mediante la técnica del **contraste**.

- Señala algunos pasajes en los que se use con mayor claridad esta técnica.

1.2

En la biografía de Alarcón hay datos que pueden explicar la **postura** que adopta ante los hechos que relata.

- Localiza estos datos en la Introducción y relaciónalos con las referencias directas a la posición del autor que aparecen en el cuento.
- ¿Qué influencia tiene en el cuento la actitud del autor?

Si tuvieras que reescribir el cuento dándole una **orientación objetiva**, imparcial,

- ¿Qué cambios tendrías que introducir?

Aunque, como acabamos de ver, Alarcón adopta una postura patriótica, no utiliza únicamente un **tono épico**, es decir, de exaltación de las hazañas de los héroes, sino que lo combina con otro de tipo **irónico** y hasta **humorístico**. En la Introducción (p. XV) encontrarás una posible explicación de esta duplicidad de tonos.

- Señala pasajes en los que predomine el tono épico, otros en los que predomine el tono irónico y otros en los que ambos se contrapongan.
- A tu entender, ¿por qué utiliza el autor en determinados momentos el tono irónico?

1.3

La **estructura** del cuento se organiza en seis capítulos.

- ¿Cómo se distribuye en ellos el planteamiento, el desarrollo y el desenlace?
- ¿Qué función cumple el último capítulo?

1.4 _____

La **descripción del alcalde** ha merecido grandes elogios de todos los estudiosos de la obra de Alarcón. En el texto auxiliar 1.2 se dice que Manuel Atienza es un hombre-símbolo, es decir, representativo.

- Busca en el cuento indicaciones explícitas de ese valor representativo del personaje.
- ¿Qué y a quiénes crees que representa el alcalde?

La descripción está **perfectamente ordenada**.

- Señala de qué partes consta y qué orden se sigue.

Observarás que de Manuel Atienza se nos describe únicamente su aspecto físico. Nada se nos dice de **su pasado, su carácter, su pensamiento**, etc. A pesar de ello,

- ¿Puedes hacerte una idea clara de su personalidad, de su sicología? ¿Es la caracterización del personaje esquemática o compleja?
- ¿Te parece suficiente, adecuada a las necesidades de un cuento de estas características?

En el texto auxiliar aludido se señala que la descripción del alcalde se establece a base de comparaciones con el medio geográfico, con el paisaje de la comarca en que vive.

- Indica las principales comparaciones de este tipo.

1.5 _____

El cuento se basa sobre todo en el relato de acontecimientos, por lo que se utilizan un determinado tipo de **tiempos verbales**. Centrándonos en el capítulo IV (pp. 14-18),

- ¿Qué tiempos verbales predominan? ¿Cuándo se usa uno u otro?

El capítulo III, también de carácter predominantemente narrativo, está en buena parte escrito con otro tipo de tiempos verbales.

- ¿Cuáles son? ¿Por qué los utiliza el autor? ¿Qué efecto estilístico busca?
- ¿Cuándo y por qué cambia y pasa a utilizar otro tipo de tiempos verbales?

En el mismo capítulo III aparece transcrita la proclama del alcalde (pp. 12-13). Léela en voz alta, respetando las pausas marcadas por los guiones.

- ¿Qué ritmo tiene? ¿Por qué? ¿Te parece de estilo culto o popular? ¿Qué función del lenguaje predomina en ella?

COMENTARIO DE TEXTO

Presta atención al siguiente párrafo: "¡Y era que el cañón [...] fin del mundo" (pp. 15-16). Este párrafo aparece casi al final del capítulo que narra la batalla, y destaca por su estilo retórico. Primeramente vamos a fijarnos en su situación dentro del cuento. Tiene un valor climático, puesto que acumula una gran **tensión dramática**. Pero,

- ¿Es el único momento climático del cuento? ¿Hay alguna otra escena que tenga un grado de tensión semejante?

El párrafo se caracteriza por su **técnica amplificadora**, por el **desarrollo enumerativo** y detallado de un enunciado básico, que se encuentra en el párrafo anterior.

- Localiza ese enunciado y analiza cómo es desarrollado en el párrafo que comentamos.
- ¿Qué tiempos verbales se utilizan en el párrafo anterior? ¿Por qué cambia el autor de tiempo verbal al comenzar el párrafo que comentamos?
- ¿Qué efecto produce la conjunción copulativa «y» al comienzo de este texto?

Si nos fijamos ahora en su **estructura interna**, vemos que consta de dos oraciones, y, por tanto, de dos partes.

- ¿Qué relación tiene esta estructura sintáctica con el contenido de cada parte?
- En la primera, ¿por qué se repite el mismo encabezamiento en las tres proposiciones? ¿Cómo se llama este recurso literario?
- ¿En qué se nota que esta primera parte tiene un carácter narrativo?

En la segunda parte se produce un **cambio de estilo**.

- ¿Qué tiempo verbal se usa? ¿Por qué?
- ¿Qué valor tiene el «pues»?

- ¿Qué recurso literario se utiliza mayoritariamente en esta parte?
- ¿Cómo está construida sintácticamente esta segunda parte?
- ¿Qué valor tienen los sustantivos «caos» y «fin del mundo», que abren y cierran, respectivamente, la segunda parte?
- Una vez realizado el análisis de detalle, recopila las características estilísticas del párrafo.

2. EL CLAVO

2.1

Este cuento, más extenso que los anteriores, tiene también una **estructura** más compleja.

- Agrupa los capítulos en tres partes: planteamiento, desarrollo y desenlace.

Tal como se expone en la Introducción (p. XVI) contiene **tres historias** que al final convergen en una sola.

- Realiza un resumen de cada una de ellas por separado. Ponles un título adecuado.

En estas tres historias la protagonista asume **tres personalidades** distintas, con nombres diferentes.

- Describe cada una de ellas. ¿Cuál crees que es su verdadera personalidad?

2.2

Todo el cuento se basa en una serie de **hechos casuales** que convergen al final.

- Enuméralos. Para Alarcón, ¿son meras coincidencias o actuaciones de un poder superior, que rige las vidas humanas? Justifica la respuesta.
- ¿Cómo influye esta acumulación de casualidades en el desenlace?

De hecho, el autor va **anticipando** el desenlace mediante una serie de alusiones.

- Señala las más importantes.

La creencia de que la vida humana está regida por **el destino**,

- ¿Corresponde más al Romanticismo o al Realismo?
- ¿En qué otros cuentos de esta antología tiene el destino un papel destacado?

2.3 _____

El **estilo** de este cuento tiene, como se dijo en la Introducción, muchas influencias de Alphonse Karr, escritor francés al que Alarcón imitó durante un tiempo. Prestemos atención al capítulo II.

- ¿Qué tipo de oraciones y párrafos predominan?
- ¿Por qué crees que abundan tanto las exclamaciones y las interrogaciones?
- Este estilo, ¿corresponde más al Realismo o al Romanticismo?

3. LA BUENAVENTURA

3.1 _____

La **estructura** del cuento es del tipo *in medias res* (en medio del asunto), es decir, que no comienza desde el principio (*ab ovo*), sino en medio del desarrollo argumental.

- ¿Qué efecto produce en el lector este tipo de estructura?
- ¿Cuál sería el orden de los capítulos si se siguiera una estructura *ab ovo*?
- ¿Qué función cumple cada capítulo dentro del desarrollo argumental?

3.2 _____

La escena con que se inicia este cuento está construida mediante la técnica del **contraste**.

- Realiza un análisis comparativo del gitano y del capitán general.
- ¿En qué se diferencia la técnica descriptiva utilizada para el uno y para el otro?

3.3 _____

En este cuento el autor tiene una intervención muy discreta, y no muestra demasiado interés en proporcionarnos datos que autentifiquen el relato. A pesar de ello, encontramos una pequeña indicación respecto a la **fuente de información** de que se ha servido: "al

sujeto, allí presente que nos ha contado todos estos pormenores"
(p. 84). Pero la información de este testimonio,

- ¿Es suficiente para conocer todo lo que ocurre en el cuento?

La intervención más importante del autor es la del final, cuando
nos expone la moraleja del cuento. Teniendo en cuenta lo que se
ha dicho en la Introducción acerca de la ideología del autor,

- ¿Por qué crees que Alarcón introduce esta moraleja? ¿Te parece
  necesaria? Sin ella, ¿cambiaría el sentido del cuento?

4. EL EXTRANJERO

El **desenlace** de este cuento ha sido criticado por algunos estudiosos de Alarcón, por considerarlo demasiado inverosímil. El propio
autor era consciente de ello, tal como lo prueba el que realizara tres
versiones del final del cuento. En el texto auxiliar 1.3 encontrarás la
primera de esas versiones. Comparándola con la última, la que aparece en esta edición,

- ¿Qué diferencias aprecias entre ellas? ¿Qué detalles ha cambiado
  el autor? ¿Con qué propósito?
- ¿Cuál te parece mejor?

Como, a pesar de todo, el desenlace sigue pareciendo bastante
inverosímil, vamos a tomarnos la libertad de modificarlo para hacerlo
más creíble. Supongamos que Iwa hubiera pedido a la vieja que lo
cuidaba que, en caso de ocurrirle algo, escribiera a su madre, de-
jándole sus señas. La vieja, informada de la muerte del polaco por
el minero, con ayuda del cura del pueblo escribió a la madre de Iwa
contándole las circunstancias de la muerte de su hijo. Además de
darle el nombre y las características físicas de Risas, le anunciaba que
había sido enrolado en el ejército francés que se dirigía hacia Rusia.
Desde entonces, la madre y las hermanas de Iwa se dedicaron a
buscarlo entre los soldados franceses que llegaban a Varsovia, hasta
que dieron con él.
Esta versión,

- ¿Resulta más o menos verosímil que la de Alarcón? ¿Por qué? ¿Se
  gana o se pierde en dramatismo y en factor sorpresa?
- ¿Es necesario recurrir al medallón?
- ¿Se te ocurre alguna otra versión en la que se respete el sentido
  global del cuento?

5. LA MUJER ALTA

5.1

Ya desde el principio, el autor manifiesta cuál es la **tesis** del cuento, es decir, aquello que pretende demostrar.

- Basándote en lo que se explica en la Introducción (p. XXI), relaciona esa tesis con la polémica sobre el Naturalismo.

5.2

Gran importancia adquiere el **marco del cuento**, es decir, las circunstancias en que es narrado, los oyentes, el narrador, etc.

- ¿Qué efecto se busca causar en el lector con todos estos datos?

- ¿Tendría el cuento la misma credibilidad si, por ejemplo, estuviera en boca de una anciana que lo cuenta a sus nietos antes de acostarse?

- ¿Perdería credibilidad si se prescindiera del marco y se entrara en materia directamente?

5.3

La **estructura** es bastante compleja, pues se presenta como relato de un relato.

- Analiza la estructura relacionándola con los capítulos.

- ¿Cómo se distribuye la tensión dramática a lo largo del cuento?

5.4

Lee el texto auxiliar 2.1, en el que Freud, el fundador del psicoanálisis, establece una explicación de por qué la **repetición de un hecho casual** puede convertirse en algo siniestro.

- ¿Qué opinas al respecto?

- Cuenta por escrito u oralmente algún suceso extraño o siniestro que te haya ocurrido a ti o a otra persona que tú conozcas.

- Basándote en las explicaciones que se apuntan en el capítulo V, trata de imaginar una de tipo racional, en la que todas las coincidencias queden aclaradas sin necesidad de recurrir a lo sobrenatural.

- Ahora trata de imaginar una explicación de tipo sobrenatural.

5.5

En el texto auxiliar 2.2 Todorov, uno de los más importantes teóricos de la literatura fantástica, da una **definición de lo fantástico**.

- ¿Crees que *La mujer alta* se ajusta a esa definición?

- ¿Causaría el cuento el mismo efecto sobre el lector si se diera una explicación –de tipo racional o de tipo sobrenatural– demasiado clara?

En los capítulos V y VI se dan, respectivamente, dos posibles líneas de explicación, bien distintas, de los hechos.

- ¿Cuál de las dos es la que Alarcón quiere que prevalezca en el lector? ¿Cómo inclina la balanza en favor de una de ellas?

El ser que provoca el terror del protagonista no tiene una apariencia sobrehumana, sino **vulgar**. Observa la ilustración de la p. 115.

- ¿Te la imaginas así? ¿Qué refleja la ilustración: la visión del protagonista, la que nos da el autor...?

Recopila los datos que se nos ofrecen de la mujer alta. Basándote sólo en ellos,

- ¿Es posible elaborar alguna interpretación coherente de su personalidad? ¿Puedes elaborar tú una, o varias?

La vieja sostiene un objeto, un **abanico**, que adquiere gran importancia.

- ¿Qué puede simbolizar?

6. LA COMENDADORA

6.1

Este relato pertenece a los *Cuentos amatorios*, en clasificación del propio autor; sin embargo, el **subtítulo** es muy revelador y aparentemente contradictorio.

- ¿Cómo se relacionan o complementan el título y el subtítulo? ¿Qué función desempeña el amor en el cuento?

Este cuento se distingue claramente de los demás de esta antología por su **falta de movimiento**.

- ¿Cómo compensa el autor esta falta de acción?

Pese a su brevedad, la **estructura** del cuento, está muy marcada: seis breves capítulos.

- ¿Qué ocupa más espacio, los preliminares o la acción? ¿Qué parte del desarrollo argumental representa cada capítulo? ¿Cuál de ellos supone el eje climático de la acción?

El **estatismo** del cuento viene determinado por una situación creada: la necesidad de que se perpetúe una familia aristocrática.

- ¿Cómo influye esta situación en la caracterización de los personajes y en su libertad de actuación?
- ¿Qué es lo que rompe esta situación estática?

El autor escamotea al lector la **escena culminante**, aquella en que la comendadora accede a los deseos del niño.

- ¿Crees que está justificada esta supresión? ¿Disminuye o aumenta la calidad literaria del cuento por ello?

Después del desenlace, durante los años que transcurren hasta la muerte de la comendadora,

- ¿Vuelve a recuperarse el equilibrio, todo vuelve a ser como antes?

6.2 _____

Sólo tres **personajes** aparecen en este relato: la vieja condesa, el niño Don Carlos e Isabel, la comendadora.

- ¿En qué medida el niño y la anciana reflejan los extremos que confluyen en el contradictorio carácter de sor Isabel?

En el cuento aparecen varias referencias a **obras de arte**, que no son meros datos externos, sino que guardan íntima relación con las descripciones.

- ¿Qué función tienen estas referencias? ¿Cómo se sirve Alarcón de ellas?

El autor, al trazar los retratos de los personajes, desliza su **punto de vista** respecto a ellos.

- Señala cuál es la actitud del autor respecto a cada personaje e indica en qué se nota.

El **retrato de la comendadora** (pp. 133-135) está perfectamente ordenado.

- Indica cuál es su estructura.

6.3 _____

En los cuentos de Alarcón, el **narrador** suele hacerse presente participando o tomando carácter de protagonista. En _La comenda-dora_, en cambio, la presencia del narrador no es tan patente.

● Compara este relato con _El carbonero alcalde_ o _El clavo_ y trata de establecer el diferente papel que desempeña el narrador.

Alarcón, que, como puedes comprobar en los relatos de esta antología, gustaba de escenarios naturales y abiertos, prefiere en este caso una **ambientación** de interiores.

● ¿Qué elementos constituyen esta ambientación? ¿Qué valor simbólico cobra?

La **descripción** se alterna con la narración, especialmente en los capítulos I y II.

● ¿Qué diferencia hay en las descripciones de uno y otro capítulo?

● ¿Hasta qué punto la descripción externa de los personajes –vestidos, fisonomía...– supone un retrato, indirecto, de las respectivas sicologías?

6.4

En los textos auxiliares 1.1 se sostienen opiniones opuestas acerca del **valor educativo** de los _Cuentos amatorios_ de Alarcón, serie a la que pertenece _La comendadora_ y también _El clavo_.

● ¿Crees que estos dos cuentos tienen una intencionalidad educativa, moralizante, como sostiene Alarcón? O, por el contrario, ¿crees que su propósito es puramente distraer al lector con unos relatos entretenidos? ¿Opinas tú también, con Pardo Bazán, que hay contradicciones en quien pretendía pasar por "perpetuo campeón de la moral"?

● ¿Es el autor, por otra parte, el único que puede decir cuál es la intencionalidad de sus obras?

COMENTARIO DE TEXTO

Lee con atención el siguiente fragmento del cuento: «La primavera había [...] melancólicos instantes» (pp. 139-140). Este fragmento tiene una **clara autonomía** en relación al resto del capítulo.

● ¿Qué función cumple dentro del capítulo y del cuento?

● ¿Puede considerarse propiamente como un monólogo interior? ¿Qué relación existe entre la pregunta «¿En qué pensaba la comendadora?» y el fragmento?

- ¿Qué punto de vista narrativo adopta el autor?

La **estructura** del fragmento está perfectamente ordenada.

- Señala razonadamente de qué partes consta.
- Indica qué relación existe entre el primer enunciado («La primavera había principiado...») y el resto de los párrafos.
- Estudia las fórmulas en que se resume y se recopila la enumeración de distintos elementos.

El fragmento se caracteriza por el uso de un **lenguaje connotativo,** es decir, evocador, sugerente, mediante el cual los objetos se cargan de valores simbólicos.

- ¿Qué procedimientos gramaticales y ortográficos se utilizan para reforzar ese sentido evocador?
- ¿Qué evocan la primavera y los demás elementos que se describen? Señala las referencias que indican el valor evocador de cada elemento.
- ¿Qué recurso literario se utiliza para lograr que la descripción de los elementos de la naturaleza evoquen sentimientos en la comendadora?

El fragmento describe en detalle las **sensaciones** que percibe la comendadora.

- ¿A qué sentidos corporales pertenecen las sensaciones descritas? ¿Qué sentidos corporales predominan?
- ¿Qué relación se establece entre esas sensaciones del mundo exterior y el mundo interior de la comendadora? ¿Qué sentimientos experimenta la comendadora al percibir esas sensaciones?

En los textos auxiliares 1.1 verás que Alarcón defiende el **sentido moralista** de sus cuentos, mientras que Emilia Pardo Bazán niega tal intencionalidad. En el mismo sentido, y en uno de sus artículos de crítica literaria, el novelista Leopoldo Alas, «Clarín», dice: «Si alguna vez nos inclinamos por la elocuencia de algún párrafo a creer en la sinceridad religiosa de Alarcón, lo más que vemos en él es un idólatra, un pagano». Limitándote al fragmento que comentamos.

- ¿Hacia dónde crees que se inclina más Alarcón, hacia la exaltación de la voluptuosidad o hacia el misticismo? ¿En qué se advierte?

El carácter descriptivo del fragmento supone un uso especial del **lenguaje**.

- ¿Qué predominan: los sustantivos, los adjetivos, los verbos...? ¿Por qué?

- ¿Qué tiempo verbal predomina? ¿Por qué?

Una vez analizadas estas cuestiones,

- Formula unas conclusiones que resuman las principales características del estilo del fragmento.

- Compara estas conclusiones con las que hayas extraído del comentario del fragmento de *El carbonero alcalde* y señala las diferencias estilísticas más significativas entre ambos.

7. LA CORNETA DE LLAVES

7.1

Hemos visto que en *El carbonero alcalde* Alarcón adoptaba una postura claramente favorable a uno de los dos bandos. Pero en *La corneta de llaves*,

- ¿Cuál es su actitud ante el conflicto entre liberales y carlistas? ¿En qué se aprecia?

7.2

Aunque se trata de un cuento corto, está dividido en **nueve pequeños capítulos**.

- Indica qué función cumple cada uno dentro del desarrollo argumental.

En la Introducción (p. XXIV) se señala que en el último capítulo se acumulan demasiados años y **demasiados temas** en muy poco texto.

- Enumera los temas principales que aparecen en él.

- ¿Te parecen verosímiles las circunstancias en que Basilio aprende a tocar la corneta y la explicación de cómo pierde y recupera la razón?

7.3

Como en el cuento ocurren gran cantidad de peripecias emocionantes en muy poco tiempo, el autor utiliza un **estilo** adecuado al contenido.

- ¿Cuáles son los rasgos principales de ese estilo?
- ¿Qué tipo de diálogos predomina?

8. SOBRE EL CUENTO Y SOBRE ESTA ANTOLOGÍA

En el texto auxiliar 2.3 se resumen las principales diferencias entre cuento y novela. Entre otras cosas, se dice en este texto que «un cuento se recuerda íntegramente o no se recuerda.»

- ¿Qué cuentos de esta antología recuerdas mejor? ¿Por qué?

Otra norma, según Baquero Goyanes, es que, en el cuento, «su autor no puede [...] jugar con el interés del lector, dilatando, escondiendo el desenlace, suspendiendo una acción y entrecruzándola con otra, describiendo reacciones insospechadas.»

- En esta antología, ¿hay algún cuento en el que se utilicen estos recursos? ¿Implica ello una disminución de su calidad literaria?

En este texto leemos también, por último, que, el cuento «desde las primeras líneas ha de atraer la atención del lector.»

- ¿En qué cuentos de esta antología se consigue esto con mayor intensidad? ¿Son los que te han gustado más?

TRASFONDO HISTÓRICO DE LOS CUENTOS

1

La **Guerra de la Independencia** fue para Alarcón un motivo de interés que le inspiró varios relatos. En esta antología hay dos cuentos ambientados en esa etapa de nuestra historia; pero es sin duda *El cabonero alcalde* el que más fuertemente consigue sacudir nuestra sensibilidad. En él, la desesperada resistencia de que hacen alarde los lapeceños es un suceso mínimo dentro de la Guerra de la Independencia, pero representativo de la multitud de pequeños combates que la caracterizaron, como comenta el propio Alarcón («Fue una de tantas poco sabidas pérdidas...», p. 20). En efecto, el poderoso ejército francés, hasta entonces siempre victorioso, tuvo sus primeras derrotas en España, a pesar de la escasez de medios con que contaban los españoles. José Bonaparte escribía a su hermano Napoleón: «Hacen falta muchos medios para someter España. Este país y este pueblo no se parecen a ningún otro». Tampoco el tipo de guerra que utilizaron a menudo los españoles, la táctica guerrillera, se parecía a la de los demás países europeos. A partir de entonces, la palabra *guerrilla* se incorporará al vocabulario francés e inglés.

- ¿Sabes en qué consiste la guerra de guerrillas? ¿Cómo suplen los guerrilleros la inferioridad de medios? ¿Utilizan los lapeceños en algún momento tácticas guerrilleras?

- ¿Qué importancia tuvieron los pequeños enfrentamientos locales en la Guerra de la Independencia? ¿Se trataba de pequeños focos aislados como el de Lapeza? ¿Qué papel desempeñó en la guerra el ejército regular español? ¿Y las tropas irregulares, las partidas integradas por gentes del pueblo?

Al principio del cuento se alude a los **afrancesados**, sobre los que Alarcón escribió un cuento.

- ¿Conoces alguno de los argumentos que esgrimían para justificar su apoyo a José Bonaparte?

Entre los afrancesados se contaba con personalidades de gran prestigio, como Goya.

- ¿Sabes de algún escritor importante que fuera también afrancesado?

Hubo otros intelectuales que consideraron compatibles el patriotismo y la defensa de la modernización de España. En el texto auxiliar 3.1 encontrarás la contestación que el escritor Gaspar Melchor de Jovellanos envió al general francés Horacio Sebastiani, en respuesta a otra carta de éste, en la que intentaba convencerle de que se pasara al bando de los afrancesados. Este Sebastiani es el capitán general de Granada que cita Alarcón al principio del cuento.

● Resume la postura política de Jovellanos.

La proclama del carbonero alcalde termina con unos gritos contundentes: «¡Viva Fernando VII! ¡Muera Pepe Botellas!». Para los lapeceños, y para la mayoría de los españoles, el primero era el rey que habría de salvar el país, de ahí que le llamaran «el Deseado». En cambio, a José Bonaparte, por el mero hecho de ser extranjero, le atribuían toda clase de maldades y de vicios, como el alcoholismo. Pero la realidad histórica no fue tan simple.

● Identifica cuál de estos dos reyes hizo lo siguiente:

– Escribía cartas a Napoleón felicitándole por sus victorias sobre los españoles.
– Clausuró las universidades del país para acabar con «la funesta manía de discurrir».
– Elaboró un proyecto de reforma del sistema educativo.
– Suprimió la enseñanza de las matemáticas y la astronomía, por considerarlas «peligrosas».
– Elaboró un proyecto de código legal moderno.
– Restableció las leyes feudales del Antiguo Régimen.
– Otorgó la primera Constitución de España.
– Suprimió la Constitución de 1812.
– Abolió la Inquisición.
– Restauró la Inquisición.

● ¿Qué conclusión extraes?

Lee el texto auxiliar 3.2 y, basándote en la caracterización que Marx hace del movimiento patriótico,

● Define la tendencia política e ideológica de la proclama del alcalde (pp. 12-13).

● ¿Qué diferencias políticas encuentras entre la carta de Jovellanos y la proclama?

2 _____

Los **bandoleros andaluces** fueron personajes muy populares durante el siglo XIX, y han sido fuente de inspiración para cineastas y escritores. Es el caso de Alarcón, que los utiliza como tema en *La buenaventura*.

● ¿En qué zonas de Andalucía actuaron los bandoleros?

• Busca información sobre las «hazañas» de algún bandolero famoso, como José María «el Tempranillo».

Julián Zugasti, gobernador civil de Córdoba que se dedicó a combatir el bandolerismo durante largos años, escribió una extensa obra sobre el tema, de la que hemos reproducido un fragmento (texto auxiliar 3.4). De entre las muchas causas del bandolerismo que enumera el autor,

• ¿Cuál crees tú que pudo ser la más importante?

Los bandoleros fueron protagonistas de numerosos poemas populares que, en forma de canción, narraban sus aventuras, presentadas desde puntos de vista muy distintos. Lee los poemas del texto auxiliar 3.3.

• ¿Qué imagen de ellos se da en uno y en otro? ¿Con cuál de estas dos versiones se corresponde el cuento de Alarcón?

3

Desde que en 1833, a la muerte de Fernando VII, se produjo la primera **guerra carlista**, hasta 1875, en que los carlistas fueron por fin militarmente derrotados, España se vio sacudida por varias de estas guerras civiles.

• ¿Cuántas guerras carlistas hubo, cuánto duró cada una de ellas y en qué regiones tuvieron mayor repercusión?

Además de los derechos al trono de don Carlos y sus sucesores,

• ¿Qué ideas políticas defendían los carlistas? ¿En qué lema se resumían esas ideas?

También el tema de las guerras carlistas tentó a ilustres escritores como Galdós, Valle Inclán o Unamuno. Alarcón se ocupa del tema en *La corneta de llaves*, cuento en el que recoge uno de los aspectos más cruentos e inhumanos de la primera guerra carlista: el **fusilamiento de los prisioneros** por parte de los partidarios de D. Carlos. Pero si leemos el texto auxiliar 3.5, escrito por un militar alemán que combatió con los carlistas, comprobarás que también los liberales hacían lo propio.

• ¿Hay un bando que te parezca más culpable que el otro? ¿Crees que Alarcón o Von Goeben son objetivos al narrar los hechos? ¿Crees que uno lo es más que el otro?

LENGUA

1. LÉXICO Y SEMÁNTICA

1.1

En *El carbonero alcalde* abundan las alusiones a los vínculos entre los lapeceños y los moros, y a la influencia de la larga dominación musulmana. En el cuento aparecen bastantes **palabras de origen árabe**; éstas son algunas de ellas:

aceite	alcazaba	calibre	jabalí
albéitar	alguacil	canana	naranja
alcalde	asesinado	chaleco	tambor

Observarás que algunas comparten un rasgo en común.

- ¿De qué rasgo se trata? ¿A qué se debe?
- Consulta en un diccionario el significado etimológico de esas palabras y no dejes de explicar el origen de *asesino*.

El amedrentado enterrador de *El clavo* es interrogado por el implacable juez sobre el motivo de que aparezca una calavera con signos de haber sido enterrada recientemente. Ésta es su explicación: «Para sepultar un cuerpo, es menester *exhumar* otro».

- ¿Qué quiere decir *exhumar*? Consulta su significado etimológico y comprobarás la utilidad de saber latín. ¿Cuál es su antónimo, en la variante culta?

1.2

El lenguaje del gitano de *La buenaventura*, su peculiar forma de hablar, constituye uno de los elementos más importantes del cuento. Pero lo más interesante es que este personaje se muestra capaz de manejar dos **registros lingüísticos**:

- Identifica estos registros y señala sus características principales. Consulta, por ejemplo, las páginas 76-80.
- Indica en qué momentos utiliza cada registro y comenta a qué se debe el que utilice uno u otro.

1.3

En el sintagma «aquel *vasto* y señorial aposento» (p. 131),

- ¿Qué significa el adjetivo *vasto*? ¿Y escrito con *b*?
- ¿Cómo se llama el fenómeno mediante el cual dos palabras de significados diferentes tienen la misma pronunciación?

En la página 134 Alarcón habla de «dos ojeras hondas, *lívidas*», y en la 142 dice que «Sor Isabel se puso *lívida*». Con ayuda de un buen diccionario,

- Señala qué significa «lívida» en cada caso.

Vamos a repasar algunas palabras cuyo significado ya te hemos explicado en la nota correspondiente. Define la palabra en cursiva, o sustitúyela por otra:

1. Una persona muy *perita* en el arte militar.
2. Los *gañanes* más diestros en el manejo de la honda.
3. Por el camino te contaré la historia que ha *acibarado* mi existencia.
4. [...] todos los cuales habían subido con el orador, que era el más *pollo*.
5. ¡Tú te lo figurarás fácilmente a poco que entiendas de *cuitas* humanas!
6. Sonó la una de la noche de tan *aciago* día.
7. La guerra era entonces *sin cuartel*.
8. Los caminos de la *Providencia* son *inescrutables*.
9. Ha servido como de *agüero* infernal a esta desventura.
10. Todos los *coetáneos* del hecho.

1.4

En la nota correspondiente (p. 110) hemos aclarado el significado que *título* tiene en la frase. Pero esa palabra puede tener muchos otros significados.

- Busca en un buen diccionario, a ser posible el de la Real Academia, todos los significados de esa palabra.
- Construye una frase con cada una de esas acepciones.
- ¿Qué nombre recibe el fenómeno por el cual una palabra tiene diversos significados? Cuando nos encontramos esa palabra en un texto, ¿cómo podemos saber cuál de sus significados tiene?

2. MORFOSINTAXIS

En la frase de *El carbonero alcalde* «y, en virtud de esta *orden del día*, salieron diez o doce columnas» (p. 8),

- ¿Está bien utilizado el género de *orden del día*? ¿Cuándo se usa *orden* en masculino y cuándo en femenino?

Y, siguiendo con la cuestión del género,

- Averigua en el diccionario si es correcto decir *aquellos naciones* en la frase: «¡Todos los ganados del territorio habían sido ya devorados por "aquellos naciones"!» (p. 7).
- Analiza sintácticamente la oración y pásala a activa.

Las escasas palabras que pronuncia el polaco de *El extranjero* se reducen a pronombres personales y verbos, utilizados de una manera peculiar, característica de los extranjeros que dominan escasamente el castellano.

- ¿A qué se debe que los que no dominan el castellano utilicen de esta manera los pronombres personales y los verbos?

En el cap. III de *La comendadora* (pp. 139-144) aparecen casi todos los diálogos del cuento.

- ¿Qué tiempo verbal suele utilizar la abuela? ¿Qué función del lenguaje se caracteriza por el uso de este tiempo? ¿Qué relación hay entre el uso de esa función del lenguaje y la sicología del personaje?

Presta ahora atención a las siguientes frases:

1. – ¡Satanás! –*balbuceó* la comendadora. (p. 143)
2. Sus labios *balbucieron* esta frase. (p. 70)
3. Al culpado que *cayere* debajo de tu jurisdicción considérale hombre miserable. (p. 91)

- Indica cuál es la forma de infinitivo de cada uno de los dos primeros verbos en cursiva, y cuál la primera persona singular del presente del segundo de ellos.
- ¿A qué tiempo pertenece el tercero de los verbos? ¿Sabes en qué ocasiones se emplea hoy? ¿Puede substituirse por algún otro?

3. ESTILO Y COMPOSICIÓN

Ya hemos dicho que Alarcón emplea a menudo un lenguaje retórico muy del gusto de la época. Sustituye las siguientes expresiones en cursiva de *La comendadora* por otras más actuales o de nivel estándar:

1. *Dondequiera que ella imperase no habría más arbitrio* que matarla u obedecerla. (p. 131)
2. *A la sazón* se divertía en arrancar las hojas... (p. 132)
3. Una monja, o *por mejor decir,* una comendadora. (p. 133)

4. Para que *se aclimatase desde luego* en la vida monacal. (p. 136)
5. *Y por resultas de* tales estudios... (p. 137)
6. Aquel niño era el alma [...] y el orgullo, *a la par que* el feroz tirano de su abuela. (p. 138)

Sustituye las siguientes expresiones de *La corneta de llaves* por otras de significado equivalente:

1. Sin duda quiere que *le regalemos el oído.* (p. 149)
2. *¡Buenos humos tenía* Ramón para aguantar insultos e injusticias *ni al lucero del alba!* (p. 153)
3. Ayer maté al teniente coronel *en buena lid.* (p. 158)
4. Maté [...] hasta que *no había un cristiano* en el campo de batalla. (p. 158)

El gitano de *La buenaventura,* aunque iletrado, emplea un lenguaje muy creativo, salpicado de numerosos recursos literarios.

- En los capítulos I y II (pp. 75-84), busca y explica el sentido de las hipérboles y metáforas que aparecen en sus intervenciones.
- Explica el valor estilístico de los diminutivos que utiliza.

También el minero de *El extranjero* usa un tipo de lenguaje peculiar.

- Explica la metáfora «tres duros y medio de vida» (p. 95). Ten en cuenta que entonces se contaba por reales, y que cada peseta valía cuatro reales.

El autor utiliza otras formas de indicar la misma edad.

- Búscalas (p. 93) y compáralas con la que utiliza el minero. ¿Conoces otras formas, aunque sean jergales, de referirse a la edad?

En la nota correspondiente hemos aclarado el significado de la metáfora «zurcidora de voluntades» (p. 124).

- Explica este significado partiendo del sentido literal de la metáfora.

En *El clavo* abunda el **lenguaje jurídico**, que posee un vocabulario especializado y un estilo bastante retórico y anticuado, muy rígido.

- Resume el auto que dictó Zarco (p. 53) y reescríbelo en lenguaje más usual.

En las páginas 52-53 se transcriben, en estilo indirecto, las declaraciones de los criados.

- Reescríbelas en estilo directo, desde «Que la noche en que murió...» hasta «había muerto de una congestión cerebral».

Comentábamos en los ejercicios de literatura sobre *El extranjero,* que su final no parece verosímil. Basándote en la versión que allí proponemos,

- Escribe la carta que la vieja mandó a la madre de Iwa. Trata de imitar el estilo y el lenguaje de una persona que apenas sabe leer y escribir.

- Escribe la escena en la que la madre y las hijas encuentran a Risas. Puedes hacerlo en forma de diálogo teatral o de narración.

4. CORRECCIÓN DE LA EXPRESIÓN

No sólo los hablantes de poco nivel cultural cometen incorrecciones en el difícil manejo del lenguaje. También los grandes escritores se «despistan» a veces. Veamos algunos casos.

- Dos de las tres frases siguientes contienen una incorrección. Localízalas y explica en qué consiste el error.

   1. Las macetas de alelíes, mahonesas y jacintos que adornaban los balcones... (p. 139)
   2. Dice que había olvidado el nombre de aquel pueblo, cuya promotoría sabes que dejé inmediatamente, yéndome a Madrid... (p. 59)
   3. A esta dolencia le llamaron unos excesivo celo religioso... (p. 138)

En la página 102 leemos que «los franceses tomaron a Málaga».

- ¿Es hoy en día correcto el uso de la preposición «a» delante de «Málaga»? ¿Cuál es la norma al respecto?

En la frase «¡Id allá y os asombraréis, como yo, de que en España, y a mediados del siglo XIX, existan las maravillas del África meridional!» (p. 11), hay una incorrección semántica.

- Localízala y sustitúyela por la palabra correcta.

Del cuento *La comendadora* es la siguiente frase, «El niño forcejeó por detenerla, no pudo lograrlo y cayó al suelo, *presa* de violentísima convulsión» (p. 142).

- ¿Qué significa *presa*? ¿Sabes por qué no concierta con *niño*? ¿Sabes si es correcto el uso de la expresión *ser presa de*?

LA MORAL DE ALARCÓN

1. HÉROES Y PATRIOTAS

Manuel Atienza, el protagonista de *El carbonero alcalde*, aparece como un héroe de una sola pieza: no tiene dudas, vacilaciones ni miedos; es esforzado, desprecia la muerte.

- El héroe, ¿es una persona excepcional, o, por el contrario, cualquiera puede serlo?

En *Zaragoza*, novela de Galdós basada en el sitio que aquella ciudad sufrió durante la Guerra de la Independencia, un personaje reflexionará ante el arrojo de los asediados: «Estábamos delirantes, ebrios; nos creíamos ultrajados si no vencíamos, y nos impulsaba a las luchas desesperadas una fuerza secreta, irresistible, que no puedo explicarme sino por la fuerte tensión erectiva del espíritu y una aspiración poderosa hacia lo ideal.»

También el texto auxiliar 4.1, ambientado en la Guerra de Secesión americana, describe las reacciones de un soldado durante el combate.

- Compara las actitudes que se manifiestan en uno y otro texto con la de Manuel Atienza. ¿Qué semejanzas y diferencias percibes?
- ¿Cómo explicas el cambio de actitud del soldado americano? ¿Se es cobarde o valiente, o se actúa cobarde o valientemente?
- ¿Sólo se puede ser héroe en momentos excepcionales? ¿En qué consiste la heroicidad?

Todas las naciones honran y exaltan a sus héroes, los recuerdan en los libros de historia y les elevan monumentos. Parece evidente, pues, que se los considera individuos valiosos para la comunidad, puesto que han expuesto su vida en beneficio de los demás.

- ¿Te parece la actitud del alcalde positiva para el pueblo de Lapeza, cuyos habitantes mueren en su mayoría?
- ¿Puede el patriotismo justificar enfrentarse al enemigo sabiendo que no hay ninguna posibilidad de éxito, que se va a una muerte segura y que la represión subsiguiente causará víctimas inocentes? Apoya tu respuesta en casos históricos o de actualidad.

2. VENGANZAS Y REPRESALIAS

En *El extranjero* aparecen dos casos de **venganza**: la de Risas contra Iwa, y la de la familia de éste contra el primero.

- ¿Cuál de estas dos venganzas nos presenta Alarcón como más justificada? ¿Y a ti, te parecen igualmente reprobables, o una más justificada que la otra? ¿Por qué?

El texto auxiliar 4.2, perteneciente a una célebre novela ambientada en la Primera Guerra Mundial, nos cuenta la terrible experiencia de un soldado alemán que ha de asistir a la agonía de un soldado francés apuñalado por él.

- ¿Qué semejanzas encuentras con el tema de *El extranjero*?

- En ambos casos, ¿qué es lo que hace que el enemigo deje de serlo? Y, por el contrario, ¿qué es lo que convierte a un ser humano en un enemigo?

- Comenta las siguientes palabras de ese texto auxiliar:

> Tú has sido para mí una idea, una combinación que vivía en mi cerebro y que exigía una decisión; es esta combinación lo que yo he apuñalado. Tan sólo ahora comprendo que tú eras un hombre como yo.

El protagonista de *La corneta de llaves*, soldado liberal, mientras se encuentra a punto de ser ejecutado por los carlistas, reflexiona: «¡Los facciosos fusilan ahora siempre a los prisioneros; ni más ni menos que nosotros!». También en *El carbonero alcalde* se aplica una cruel **represalia** francesa contra los lapeceños.

- ¿Cómo valoras las represalias, no sólo en la guerra, sino en todo tipo de situaciones? ¿Qué se perseguía y qué se consiguió haciendo uso de las represalias?

- ¿Sabes de dónde procede la conocida máxima «Ojo por ojo, diente por diente»?

Una forma más refinada de venganza la constituyen los **duelos**, de origen medieval, pero en plena vigencia durante el siglo XIX. Recordemos que el propio Alarcón vivió esa terrible experiencia. Para demostrar que no es cobarde, el protagonista de *La mujer alta* alega lo siguiente: «Me batí en duelo, como cualquier hombre decente, cierta vez que fue necesario, y recién salido de la Escuela de Ingenieros, cerré a palos y a tiros en Despeñaperros con mis sublevados peones, hasta que los reduje a la obediencia.» (p. 111)

- ¿Qué opinas de esta doble actitud (que justifica diciendo «como cualquier hombre decente»): duelo, por un lado, y palos y tiros contra los peones, por otro?

- ¿Quiénes se batían en duelo y por qué?

3. EL DEBER Y LOS SENTIMIENTOS

Ramón, el amigo del protagonista de *La corneta de llaves*, es de ideas liberales, pero se pasa al bando carlista por «cierta injusticia» cometida contra él por un oficial liberal.

• ¿Qué opinión te merece esta actitud, sobre todo teniendo en cuenta que, como dice Ramón, «era más liberal que yo y que todo el ejército» (p. 152)?

Ramón ayuda a su amigo y le salva la vida recurriendo al engaño y desobedeciendo las órdenes de sus jefes.

• ¿La amistad tiene que estar por encima del deber?

En *El clavo*, Zarco asume un doble y contradictorio papel: enamorado y juez. Pero «el magistrado venció al hombre.»

• ¿Cómo valoras su actitud? ¿Te parece correcto que fuera juez y parte? En su lugar, ¿qué hubieras hecho tú?

• ¿Cómo te explicas que condene a muerte a su amada y después consiga un indulto para ella?

• ¿Qué opinas de la máxima de Montesquieu: «La ley debe ser como la muerte, que no perdona a nadie»?

4. CRIMEN Y CASTIGO

La protagonista de *El clavo* comete el crimen por amor.

• ¿Crees que este motivo puede justificar, total o parcialmente, el crimen? ¿Tiene su crimen alguna otra «justificación»?

• ¿A qué atribuyes, por otro lado, el final desgraciado de la protagonista?

Alarcón presenta la condena a muerte de la protagonista sin plantearse en ningún momento si ese castigo tan duro es el apropiado para el delito cometido.

• ¿Crees que la protagonista merece ser condenada a la pena capital?

Baroja, en el texto auxiliar 4.3, aduce algunos argumentos a favor y en contra de la **pena de muerte**.

• ¿Cuál es tu opinión sobre lo que allí se dice?

• ¿Crees que es eficaz, que sirve para frenar la criminalidad, o se trata sólo de un acto de venganza inútil? ¿Estaría justificada en algunos casos, o nunca?

● ¿Sabes cuál es la legislación española actual sobre este tema?

Hemos visto que el bandolerismo duró muchos años, a pesar de las medidas represivas que se aplicaron, la pena de muerte entre ellas.

● ¿Quizá debieron aplicarse medidas más severas para acabar con él? ¿Crees que la represión es la única solución para la delincuencia?

También hemos visto que, a pesar de sus crímenes, los bandoleros gozaron de gran popularidad.

● ¿Cómo se explica? ¿Qué opinión te merece esa popularidad?

El gitano acude a denunciar al bandolero para ganar la recompensa.

● ¿Qué opinas de que las autoridades ofrezcan recompensas a los que denuncian a los criminales, o de que perdonen los delitos de los delincuentes que traicionan a sus compañeros?

En un momento dado, el protagonista de *La mujer alta*, tratando de encontrar una explicación a lo que le está ocurriendo, piensa: «No podía separar en mi mente tres ideas distintas, y al parecer heterogéneas, que se empeñaban en formar monstruoso y tremendo grupo: mi pérdida al juego, el encuentro con la *mujer alta* y la muerte de mi honrado padre» (p. 119).

● ¿Qué relación puede existir entre las faltas morales (juego, amores ilícitos) del protagonista y las apariciones de la mujer alta?

Aunque el final de *La comendadora* tiene un cierto sentido moralizante, ya que la familia de los condes de Santos se extingue sin descendencia, a diferencia de lo que hace en otros casos, Alarcón no 'castiga' al 'malo', en este caso el niño, puesto que muere años después en combate, luchando por su patria. Teniendo en cuenta que Alarcón lo describe como un niño «enfermizo» y «raquítico»,

● ¿Te parece coherente ese final? ¿Cómo te imaginas que sería el sobrino de la comendadora al hacerse mayor?

● ¿Crees que su deseo es síntoma de una personalidad enferma y degenerada o un capricho infantil sin demasiada importancia?